嘭！编程超有趣

[coding]

[英]罗博·汉森 著
[英]达米恩·维西尔 绘
陈少芸 译

云南出版集团
云南美术出版社

目录

欢迎来到《嘭！编程超有趣》

我是在一个老防空洞里学会编程的。那个防空洞由学校建于第二次世界大战期间，不过我上学那会儿它已经被改造成计算机俱乐部了。我和伙伴们都想在电脑上玩游戏，于是我初尝编程——其实就是把计算机杂志上的代码逐行誊抄过来而已。最初我还不知道我抄的那些程序是如何运行起来的，后来我开始做试验，自己编写程序。很快，我便入了迷。

编程就像解谜题，是一个逻辑过程。不同的是，编程有很多可能的解法，它不会把你卡在某个关卡。编程是一个创造的过程——你可以设计游戏、工具和应用程序，分享给你的朋友和家人。编程不需要搞来一大堆器材，也不会把家里搞得一团糟。下雨天可以编程，睡觉前也可以编程，没有什么限制。不论男孩女孩、小朋友还是退休人士，全世界的人都可以编写代码，并分享给别人。

现如今，我仍热爱编程。我现在的工作就是写代码，我的爱好也还是写代码。我希望这本书能让你们也喜欢上编程。这本书不但会教你们一些关于编程的基本概念，还会提到一些有用的编程工具和编程技巧。除此之外，本书会讲述计算机在旧时的用途以及在未来的能力。希望这本书能鼓舞你们学习并编写出自己的程序！

这个国家的每个人都应该学会如何编程……
因为编程能教会你如何思考。

——史蒂夫 • 乔布斯

程序是什么？

如果一台电脑什么也不会干，那它不过是一块价格高昂的镇纸石。程序，就是让电脑能够玩游戏、播放音乐和绘制图像的东西。程序告诉电脑干什么，电脑就干什么。

跟着指令走

程序就像是一串能将一堆塑料积木砌成城堡的指令，它是电脑执行的一套独立规则。每一条指令都只是一个非常小的步骤（就好比“拼起两块积木”），但是当程序写完后，聚沙成塔，了不起的事情也就完成了！

程序就跟步骤说明书一样，也是按顺序从头开始读取。程序的每一行代码是一个语句，语句会要求计算机执行某个动作。计算机执行完一个语句后，程序就会继续往下走，执行下一个语句。直到最后一句，计算机才停止执行。电脑不会感到无聊，也不会在这个过程中跑偏——它会规规矩矩地跟着指令走，不管这串指令有多长。（计算机执行指令可是飞快的哟！）

第一个程序

计算机程序是由代码组成的，因此编写计算机程序的人就叫编码员或程序员。编程是一种工作，但也有很多人写程序是为了好玩，包括小孩子！程序一经写完，就可以让它在电脑上运行。这个时候，电脑会跟着程序指令走，完成程序所提出的要求。

我们来看看这个程序：

```
print("我刚开始编写我的第一个程序！")
print("我刚刚写完了我的第一个程序！")
```

print指令会让计算机将后面的一行字在屏幕上显示出来。如果我们让电脑运行上面这两行代码，屏幕上会先显示：

我刚开始编写我的第一个程序！

随后会显示：

我刚刚写完了我的第一个程序！

这恰是由于电脑先读了第一行代码的指令，再读了第二行所致。没错，就这么简单，你已经写了一个程序！

小窍门

你可以把书中的大多数代码实例放到jsfiddle.net这个站点上试运行，详见102页。不过要注意，将print命令改为alert命令，代码才跑得动。

开始吧！

世界上有许多不同的语言，计算机世界也有许多不同的编程语言。有些语言会比其他语言更适合编写某类程序，有些编程语言则比其他语言更为复杂。无论是哪一种计算机语言，它们的基础构件都是一样的。

本书会讲述关于编程的一切知识，到你开始动手尝试写代码的时候，你就会明白编程语言的基础构件是怎么回事了——不管你选的是哪种语言。

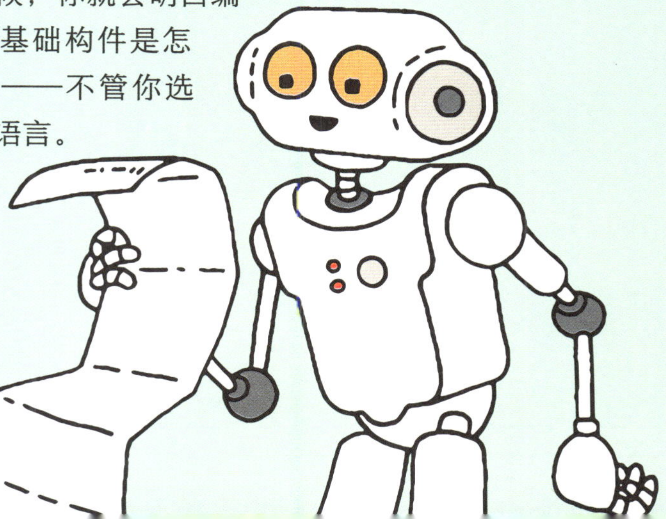

巨人计算机：第一台计算机

如今，到处都是计算机。但在20世纪40年代以前，“computer”这个单词是指从事计算的人员，而不是指计算机器。计算员的工作相当乏味，要做到分毫不差是不可能的。于是，工程师开始想办法建造机器来替代这项工作。

恩尼格玛密码机

第二次世界大战期间，交战双方军队都会通过无线电截取对方的军事命令和战事汇报。为避免情报被泄露给敌方，他们对消息做了加密。英军招募了一批擅长数学、国际象棋和纵横字谜的人员，在白金汉郡的布莱切利庄园组建了一支队伍专门研究破解德军的情报。1941年，在波兰解密员以及阿兰·图灵和其他同仁设计的机械计算机器的帮助下，英军如愿破解了德军的主要密码机——恩尼格玛所加密的情报。

小窍门

巨人计算机在当时非常机密。战后只有少数机器得以保留下来，大部分机器与档案一同被销毁，所有知情人也都宣誓对此保密。因此，1946年诞生在美国的ENIAC计算机在之后很长一段时间里，都被视作世界上第一台计算机。直到20世纪70年代中期，巨人计算机的资料才得以公开。2007年，一台可运行的巨人马克2号计算机复制品被成功制造出来。若有机会参观建在布莱切利庄园中的国家计算机博物馆，你还能看到它在运行。

巨人计算机

但是，德军高级指挥部使用他们自己的密码系统——洛仑兹密码。这套密码系统太复杂了，连图灵的机器都束手无策。不行，他们得想别的对策。在战前，图灵就曾设想过要建造一台能解决任何数学问题的机器。而此时，汤米·佛劳斯和马克斯·纽曼正好刚造出一台这样的机器。这台机器就是巨人计算机，它使用电力和真空电子管来运算。它与此前的任何机器都不同，它既是电子的又是可编程的，一经设置就

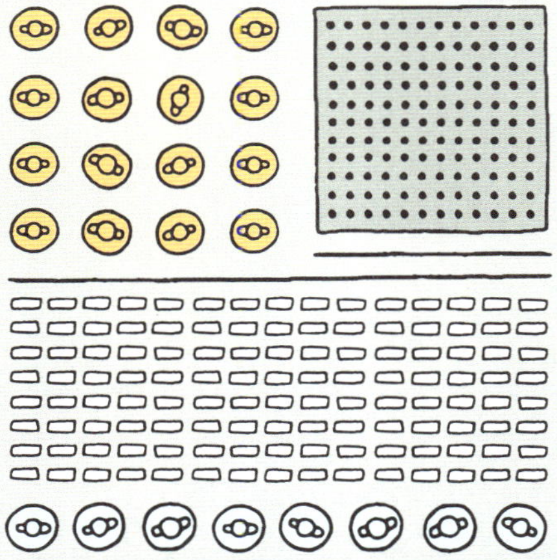

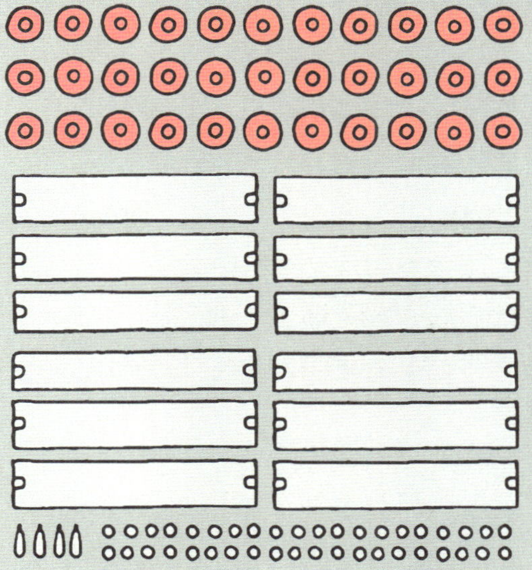

可以解决任何数学问题。它就是世界上第一台计算机！

巨人马克1号完工于1943年12月。它从纸带上读取加密信息的速度是每秒1000个字符。而1944年6月诞生的巨人马克2号，读取速度是1号的五倍。有了这台新设备，布莱切利庄园终于破解了洛仑兹密码系统，解读出希特勒下发给指挥官的信息。可以说，正是布莱切利庄园这帮人在破译密码上所付出的努力，提前几年结束了战争，并且拯救了几百万人的生命！

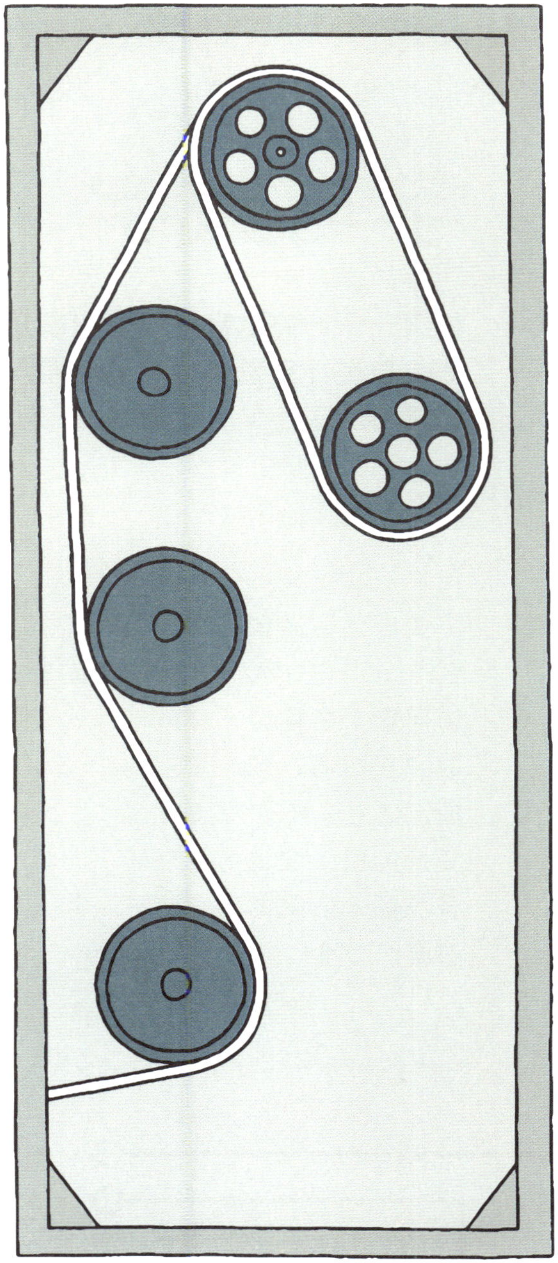

字与数字

如果一个计算机程序不能记事儿，那它也就没啥用处了。所以，哪怕是在计算机诞生的最早期，计算机都是有存储能力的。程序通过将信息存在“变量”上，来记住信息。

当你首次定义（使用）一个变量，你需要给它一个名称。当你在程序里再次访问这个名称时，你就能取到它的值，或改变它的值。使用等号（=）来定义变量的值，变量名称在等号左侧，所赋的值在等号右侧，比如：

新建一个变量，值“3”

```
my_first_variable = 3
print(my_first_variable)
my_first_variable = 5
print(my_first_variable)
```

这行代码会让屏幕上显示“3”

将变量的值改为“5”

现在这行代码会让屏幕显示“5”

小窍门

你可以给变量指定任何名称，只要名称里没有空格就行。建议起一些有意义的名称，这样你才不会忘记它们存的是什么内容。

注意！

整数和浮点数可以直接互相转换。但是要仔细，将整数转为浮点数是安全的，而将浮点数转为整数则有可能出问题。比如，将4转换为4.0没问题，但若要将4.99转换为整数，结果会是4——我们平时说四舍五入，但计算机只会往下舍，不会往上入。若不注意这一点，可能就会得到莫名其妙的结果。

数字的类型

计算机将数字分为两类，整数和浮点数。整数就是没有小数部分的数字，如5、7983、－6、0等等。浮点数是有小数部分的数字，如1.29、－98.5、0.000002等等。并非每种编程语言都严格区分数字类型，不过很多语言还是做了区分。如果你需要区分，请记住这个规则：4表示整数，4.0表示浮点数。

字

除了能存储数字，变量还能存文字，甚至句子！单独一个字叫作“字符”，一个词或句子则叫作“字符串”（因为它就是一串字符组成的）。一个变量可以存储一个字，也可以存一个字符串。字符串多长都可以，随你喜欢——你把一整本书存到一个变量里都没问题！使用字符串时，需要用半角引号将它包起来，“就像这一句”。

运算符

在变量里存储值固然挺好，但如果你需要修改或合并这些值，那就是计算机大显身手的时候了。计算机本身就是专为鼓捣数字被发明出来的，它们可擅长这个了！

在做整数除法的时候要格外注意，因为运算结果也会是整数。比如var/2，当var是5.0（浮点数）时，运算结果是2.5，但当var是5（整数）时，结果就会是2，因为它会往下舍到最接近的整数。所以在做整数除法时，最安全的做法是先将数字转换为浮点数。

使用运算符，可以操作变量。运算符其实就是加、减、乘、除等计算符号的编程术语。在代码里，加号和减号如常写作+和－，而乘号应写成*（而非×），除号则写作/（而非÷）。

运算符不光可以将数字相加并存储在变量中，还可以让变量相加。等式的等号右侧任何可以放置数字的位置，其实都可以放变量：

variable1 =7

```
variable1 = 2 + 5

variable2 = 11 - variable1

variable3 = variable1 * variable2
```

variable2即11-7=4

variable3即7 x 4=28

赋值运算符

在运算中，你可以指定变量本身，把它作为运算的一部分。比如，要从变量减掉2，你可以这样写：my_variable = my_variable－2。

这种运算十分常见，有一些专门的赋值运算符能大大简化这类运算：+=、－=、*=和/=。这些符号就相当于是“我想要拿这个变量来作运算”的简写。比如，要拿var除以3，可以这样写：var /= 3。

要给变量加1或从变量减1，还有更省事的写法：++和－－。比如，给变量加1，可以写作：var++。

小窍门

虽然运算符大多用在那些包含数字的变量中，但很多编程语言实际上允许+运算符将字符串相加。它们还允许你使用+=运算符在已有的字符串变量后添加更多文本。但你要记住，字符串不可以减、乘或除，只有数字才可以！

还有一个运算符

那就是%，这是一个百分号，但在编程中表示在长除法里求余数。不过这个符号并不常用，所以不用担心。

灭虫行动

计算机都很蠢。这句话并不是说计算机不擅长算术（实际上计算机数学超厉害），那么计算机到底哪儿蠢呢？它蠢就蠢在只会逐字跟着它收到的指令行事，哪怕这些指令根本行不通。

计算机程序中的错误，叫作bug（虫子）。bug这一说法来源于计算机诞生初期，当时有一台计算机不断产出错误的结果，后来操作者将它拆开，发现有一只蛾子被困在机器里面——虫子的名字就是这么来的！如今，计算机早已做了防虫处理。所以，现在的计算机如果出了错，通常都是程序所致。

刚开始在自己的代码里遇到bug，你可能会心灰意懒。不用担心，再专业的程序员也要花大量时间在自己的代码里找bug、修bug！

处理程序报错

有一些bug能让计算机在运行程序时马上报错。语法错误就是这一类bug，比如将/=写成了?=。这种情况下，计算机读不懂它的意思，就会直接报错，告诉你错误是什么，以及在哪个位置。哪怕你不明白这条错误信息，只需按提示去找到那行出错的代码，通常就能马上找到问题。

还有一种错误，叫作运行时错误。这类错误通常是这样发生的，虽然你的语法没有问题，计算机也读懂了，但它无法执行某一条指令，比如尝试拿一个数去除以0。在这种情况下，程序会崩溃并报错。

追踪BUG

最恐怖的是这一种bug——程序虽然能跑，但跑得不正常！这种情况下，你得仔细检查你的代码，看看是哪儿出了问题才导致程序不正常。有一个窍门，是在代码不同地方加一些print()命令，将一些重要变量的值打出来。这样一来，当这些变量出了一些与预期不符的值时，你就能立马追踪到bug的位置了。有一类工具叫调试器，专门用以自动给程序查错。虽说是自动，但配置起来还是挺麻烦的。

小窍门

有时候，你可能搞不懂到底问题出在哪儿。如果身边没有人可以求助，最好的办法就是把错误提示里的错误类型拷贝下来，上网搜索一下。通常，你能搜索到一大堆解释这种报错信息的网页。没事，专业的程序员遇到难题，也是这样解决的！

逻辑

逻辑不仅仅是福尔摩斯脑子里的货，计算机也满脑子都是逻辑呢！

逻辑运算

逻辑有它独特的变量类型，叫作“布尔型变量”。布尔值跟数字和字符串一样，也可以做变量的值。布尔型变量只有两个值：真、假。理论上，布尔型变量是最为简单的变量了。

将布尔变量拿来作合并运算，可以得到新的变量，这部分就有意思了。布尔变量有一套独特的运算符，称为“逻辑运算符”：与（AND）、或（OR）和非（NOT），而不是普通的加、除或减。

非运算（NOT通常使用大写字母）是最简单的：如果变量b等于非a，那么当变量a为真，b就为假，反之亦然。与运算和或运算用以运算多个变量的合并。

如果变量c等于a或b，那么当a或b有一个为真（或两个都为真）时，c就为真。如果变量c等于a与b，那么只有在a和b都为真时，c才为真。

下方三个真值表列出了所有操作数的合并运算结果，可以帮你轻松理解上述的内容。

非运算：b等于非a

变量a	变量b
真	假
假	真

或运算：c等于a或b

变量a	变量b	变量c
假	假	假
真	假	真
假	真	真
真	真	真

与运算：c等于a与b

变量a	变量b	变量c
假	假	假
真	假	假
假	真	假
真	真	真

在代码中，运算符并不使用英文名称，而是记作符号。NOT是!，OR是||，AND是&&。

逻辑运算

你可以直接写布尔值，也可以通过做比较得出布尔值。通过比较两个值（或两个变量），你可以判断某个条件是真还是假。用于比较的关系运算符有不少：

==	等于
!=	不等于
>	大于
<	小于
>=	大于或等于
<=	小于或等于

5不小于3，所以boolean2为假

```
boolean1 = True

boolean2 = (5 < 3)

boolean3 = boolean1
&& boolean2

print (boolean3)

>> False
```

真AND假，结果为假

注意！

注意，表示相等的符号是两个等号，而不是一个。如果漏了一个等号，就会变成是在设置一个变量值，而不是在拿两个值做比较。这是编程中最常见的一种错误！

编程者都是什么人？

说到编程者，你脑子里会出现什么样的形象？大人还是小孩？男还是女？是以编程为工作，还是爱好？实际上，任何人都可以给计算机编程。你会发现，编程的人不分年龄、性别、国籍和职业。

全职程序员

有很多人全职从事编程工作，他们的头衔通常是“程序员”或“软件工程师”。他们写的可不只是计算机游戏和智能手机应用。控制洗衣机的软件、银行之间转账的软件和汽车里的软件也都是程序员写的。你可能会以为，要成为专业程序员，就得上大学，修读计算机科学专业。这只是成为程序员的其中一种方式。实际上，大部分的全职程序员在大学里并非主修编程。很多程序员主修其他专业，多数是理科专业，但也不全是。还有很多程序员没有上过大学，从中学毕业就入行做程序员的，也有先从事其他工作后转行去编程的。

业余编程者

编程不仅仅是一种工作。更多的人会在业余时间编写程序，而非以此谋生。他们写程序可能是为了好玩，或是为了学习，也可能是帮家人、朋友建立有用的网站，或者给其他人做游戏软件，不一而足。如今有了互联网和智能手机，要将代码分享给全世界再简单不过了。

很多人一开始只是在业余时间编程，然后兴趣渐浓，最后决定兼职写程序，甚至转行做程序员。实际上，有很多非常专业的程序员都是利用自己的时间学的编程。开发手机应用和网站是一条兼职赚钱的好路子，同时也能让你在编程编着玩之余，感受到专业编程的滋味。

学习编程

现如今要学习编程，再容易不过了。坊间有许多优秀的编程教程书（比如你手上这一本！），但你也可以在网上找到所有你需要的东西。本书第38页和68页会带领你开始写代码，第102页还列举了许多站点，你可以在上面找到更多好玩又比较复杂的编程项目。

Hello, World!

计算机程序简单也好，复杂也好，得有输入（控制程序的方式）和输出（从程序获取信息的方式），它才能算得上是有用的程序。

让程序写东西出来

要让程序跟我们交流，最简单的方法就是让它在屏幕上显示文本。你可以使用本书前面提到的示例来让程序显示文本，即print语句。它非常简单，却能说明许多关键概念。

所谓的“语句”，就是用以要求计算机执行的指令。print语句会让计算机在屏幕上显示文本，你只需要在print后面的括号里输入你想显示的文本就行了。输入的文本则称为“参数”，参数将你具体的指令告诉“语句”，让它去执行。把语句和参数放到一起，你想让它显示什么都行。

小窍门

编程界有这样一个习惯，向外界秀出任何一种编程语言的基本程序的最佳方式，就是让程序在屏幕上显示“Hello, world!”。以后你会在许多图书和教程里遇到这个示例。

```
print(“Hello, world!”)
```

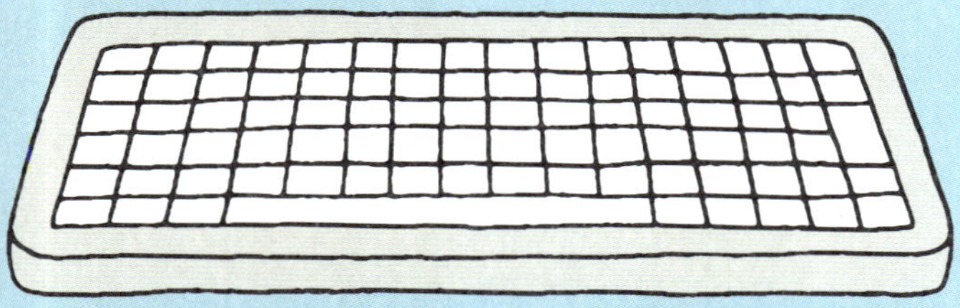

记住，字符串必须用引号包起来。

注意！ 哪怕你要求用户输入数字，他们还是有可能不小心输入别的东西。因此，在有用户输入的地方，你要考虑所有可能出现的输入错误，并针对这些可能的错误进行编码。否则，你的程序有可能会出现奇怪的行为！

让程序读东西进去

你可以让程序写东西出来，当然也可以让程序读东西进去！程序从键盘读取信息的方式会根据语言而不同：有一次输入一个字符（按键响应）直接读取的，也有输入字符串后按回车再读取的。一经读取，输入值就存到变量中了。

如果你要求用户输入数字，你还得做一件事。你要知道，对于计算机来说，字符串“12”和数字12是两回事。前者同“大象”或“足球”一样，只是文本字符串，而非计算机所能理解的数字。要将字符串改为数字，你得让程序做转换：函数int(“12”)就可以将字符串“12”转换为整数12，float(“12”)则可以将它转换为浮点数12.0。

穿孔卡

在触摸屏大兴的今天，用键盘写代码可能还略显笨重。但在更早的年代，人们在计算机上存储程序和输入程序的方式如今看来相当不方便：穿孔卡。

这不是什么修辞手法，确实是实体的、表面带有一系列孔点的卡片。计算机使用闪灯照射卡片，经过光感测器来辨认卡片上的孔点，并将卡片以1和0的格式翻译出来。

穿孔卡与计算机

穿孔卡的诞生要远远早于计算机。早在19世纪，人们就开始使用穿孔卡来控制纺织机，在布织物上织出图案。穿孔卡上存储着提花图案的信息。当时还没有光感测器，人们用机械感测器碾过卡片表面以读取卡片上的信息。当时的卡片做得相当厚实，否则如何抵得住粗暴的机械碾压！

19世纪和20世纪初，机械计算机器使用穿孔卡片来存储数据和程序。后来诞生的第一台计算机——巨人计算机同样也在穿孔的纸带上读取它需要处理的信息。

与孔点打交道

二十世纪五六十年代的编程者是这样写程序的：他们先将想要运行的程序想好，在纸上写出来，然后用键控打孔机在一系列卡片上打孔。键控打孔机是一种类似打字机的设备，能在卡片指定的位置上打孔。但凡打错了一个孔点，一张卡片就作废了。一个复杂的程序可能会用到几百张甚至几千张卡片，而且必须按照一定的顺序精确排列——谁弄乱了谁就倒霉喽！

随着计算机日益普及，功能日渐强大，人们对穿孔卡的需求量也水涨船高。到1967年为止，美国平均每年要用掉20亿张穿孔卡片！然而，复杂程序对穿孔卡片这种一来就堆积成山的需求量，也愈发凸显出穿孔卡片的不切实际。到了70年代，一种新技术诞生了。从此，磁带开始取代穿孔卡，成为计算机的一种输入设备。

如今有了U盘、Wi-Fi这些东西，再想到以往人们还要依靠一叠卡片去将数据传输到电脑上，真是神奇啊！

条件语句

我们在前面已经学过了布尔运算，即计算机赖以判断事件真假的运算方法。但是，用布尔值干其他事儿的时候，布尔运算真正的力量才展露无遗！你可以从条件运算入手。

if语句和else语句

条件语句非常简单，其实就是告诉程序，如果（if）某事为真，程序该做什么，否则（else）做什么。要写一个if语句，你得将条件（即你要判断真假的事情）放到if后面的括号里。大多数编程语言都使用花括号“{”和“}”来定义程序在条件为真的情况下该做的事情。

if语句可以单独使用，也可以跟else语句一起使用。else语句就不需要新指定条件了，它的条件就是前面if语句的条件为假。还是一样，将你要程序做的事情用代码写出来，包在花括号里，放在else后面。话说回来，花括号为什么要这样摆呢？那是因为你可以将很多行代码放到条件表达式里，右括号则代表这部分代码的终止。这种用花括号封装起来的代码，称为代码块。

记住，要表示相等，应使用两个等号。

```
if(my_val==3)
{
 print("你刚输入了数字3！")
}
```

else再加上if

除了if和else，还有第三种条件语句，即else if（在某些编程语言里写作elif）。这个语句表示，只有当前面的if语句条件为假时，才执行这里的if语句。跟if语句一样，else if语句也需要条件：

```
if(my_val==3)
{
 print("你刚输入了3")
}
else if (my_val<3)
{
 print("你输入的数字小于3")
}
else
{
 print("你输入的数字得大于3，程序才会执行
这一行代码")
 print("记住，在代码块里面，你想要写多长代码
都没问题！")
}
```

你可以使用多个else if语句，随你喜欢。代码会像瀑布一样一直往下跑，直到它发现某个条件被判断为真，它就会运行这个真条件后面的代码块。

小窍门

你可以在条件语句后面的代码块中写任何代码，哪怕在里面写if语句也没问题！在if语句里面嵌入if语句的做法，称为嵌套。

测试、测试！

我们在第10页谈到一些在写代码时可能会出现的错误。为了保证程序能按你的设想运行，你还需要对它进行测试。

要有效地测试代码，有这几种窍门：

- **频繁测试：**对代码做的任意改动，都要经过测试。代码改动得越少，要找bug和修bug就越容易。

- **故意不按规矩来：**对于所有的输入，不妨试试随便输入一些不正确的值。经常引起问题的，包括长字符串、空字符串（“”）和负数等等。这些极端的输入值，被称为边界测试用例。

- **使用undo函数：**如果你刚新增了代码，但它不起效，这时可以用undo函数来撤销运行，回到程序能正常运行的状态下，然后逐行检查代码，看看问题出在哪儿。

全职测试人员

你可能会以为，专业程序员写的代码不需要那么多测试，其实不然。没有人能写出完美的代码。软件公司希望程序的bug尽可能地少，所以在程序开发时会有一些全职测试人员。测试人员并不动手写代码，他们的工作是测试别人写的代码。一旦发现问题，他们就会提交错误报告，详细阐明触发bug的操作路径以及测试的结果。程序员则参考测试人员的错误报告来定位和修复bug。

全职测试人员

对代码进行测试非常耗时。而且，为了确认代码不受新变动的影响，你得一遍一遍不断重复测试同样的东西，这个过程可能会相当沉闷。所以，目前的趋势是越来越自动化的测试。

自动化测试，说白了就是用代码本身去测试代码。自动化测试需要写出更多的代码，但这些代码并不组成主程序，而是作为测试框架（test harness，之所以叫框架，是因为它在主程序代码外面运行）而存在。测试框架会自动运行你的主程序，输入不同的值并检查输出。这种自动化测试可以是系统测试（测试整个程序），也可以是单元测试（只测试单块代码）。比起编写主程序本身，写这些自动测试代码可能看起来有点浪费时间。但只要有这部分代码，一旦你无意写错了什么，你立马就能知道。这样，要找到bug和修复bug就简单多了，长远来看还是能为你省时间的。

CPU 的代码

世界上的编程语言多种多样，但它们有一个共同点，那就是它们以英语为基础。哪怕你不懂某个编程语言，只要你懂英语，你看一些简单代码，就能猜出它大概是干什么的。

机器代码

计算机可不懂英语。程序要在计算机上运行，必须将代码翻译成计算机CPU（中央处理器）能读懂的机器代码。机器代码包含非常有限的一些指令代码，这些指令跟与CPU的固定操作一一对应。

最早期的计算机，都是直接使用机器语言编码写程序的。但这项工作的难度极高，编程者得逐行精确计算出所有的值，才能让CPU读懂该干什么。更糟糕的是，每一款CPU都有自己的一套机器代码，所以要在一款新计算机上运行，程序就得从零开始重新写。

这是一种机器代码示例：

```
77
29 20 b3
61 9e
70
0c b7 f6
```

汇编代码

汇编代码诞生于20世纪50年代，某种程度上降低了编程的难度。有了汇编代码，原生代码被一些简短的指令替代。这些指令都是英语（算是吧），比如mov代替了move，jmp代替了jump，还有add，嗯……add就还是add。汇编语言还包含了变量名之类，可以存储数据。汇编代码可以自动转成机器语言，让CPU能识别并执行。

小窍门

在高级语言诞生后很长一段时间里，编程者在写那些小又快的程序时，还是会使用汇编语言。但是随着其他高级语言的发展，它们自动生成的机器代码已经能媲美最厉害的编程者手写的汇编代码。现在，已经没有多少人直接用汇编语言写代码了。

下面是一个汇编语言示例：

```
loop:   add $t1,1
        bne $t1, $t2, end
        jmp loop
end:    nop
```

汇编语言比机器语言更简单，但写起来仍旧很慢，而且并不兼容各种型号的CPU。到了20世纪70年代，大多数的编程者都用上了更高级的编程语言。之所以称为高级语言，是因为它们与英语相似的程度，远远在低级汇编语言和机器语言之上。这些更高级的语言也会转换成机器语言，让CPU能够执行。

会思考的代码

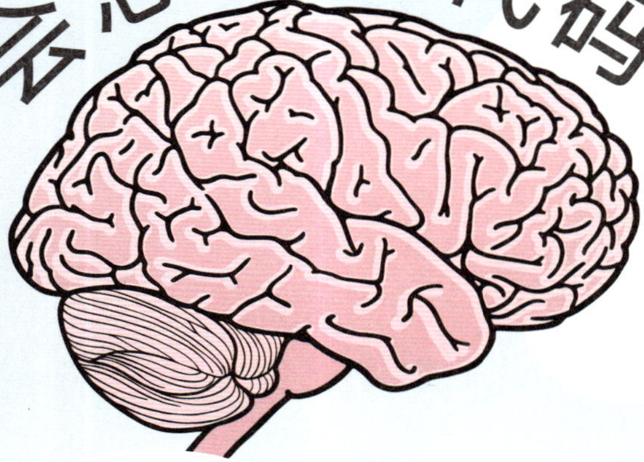

从有了计算机开始，人们就一直在梦想计算机能自主思考。计算机的自主思考能力，叫作人工智能，即AI。

会下棋的计算机

在很长一段时间里，国际象棋在西方文化中被视为顶尖的智慧象征，所以我们才会经常在影视作品中看到聪明的人下棋的画面。也是因为如此，早期的计算机科学家耗费了大量的时间来教计算机下棋。他们认为，如果计算机能下棋，那就没有它们做不到的事了。

然而，比起一些人类觉得微不足道的琐事——比如在图片上辨认出一只猫，下棋实际上对机器来说要简单得多。1996年，超级计算机“深蓝”打败了国际象棋世界冠军加里·卡斯帕罗夫。但直到今天，计算机在辨认小猫这种技能上，仍不如三岁的小孩。

象棋之外

象棋程序就是一种以规则为基础的系统：人类懂得下棋的规则，于是编程的人写了一大堆规则，让程序遵守这些规则。然而，这种方式并不适用于那些人类觉得难以归纳成规则的东西，比如辨认一张图片里是否有猫。人类可以很轻易地辨认出猫来，但这个辨认过程又如何能够精确地分解成步骤呢？

最近很多研究都提到机器学习。机器学习是指提供一个框架，让计算机在框架里学习，还为它提供大量数据用于分析（比如给它大量的图片，有些有猫，有些没有猫）。计算机将这些数据都过了一遍之后，利用这个学习框架来建立解决方案。要达到这个目的，我们就得有诸如神经网络之类的智能框架，以及尽可能多的数据。幸好，互联网上猫的图片超级无敌多！

会思考的代码

许多计算机科学家都梦想有一台真正智能的机器。早在1950年，阿兰·图灵就发明了“图灵测试”这一概念。图灵测试能够判断一台计算机是否拥有智能。

图灵测试就是让测试人跟一名与他隔开的被测试者对话。如果测试人觉得对方是人类，但实际上它是计算机，那么这台计算机就被判定拥有智能。至今都没有任何计算机程序能够通过这项测试，程序员们还在孜孜不倦地尝试。倘若他们真的成功造出了人工智能，你能想象这意味着什么吗？毕竟，这样的程序可能会被视作有生命的了……

处理数据

我们前面已经了解过用以存储信息的“变量”，那么，假如我们有一堆数据，比如班级同学的考试分数，应该怎么存储呢？我们需要做的，并非创建一大堆变量，而是创建一个能存储许多不同值的东西。

有些编程语言把这种东西称作数组，有些则称作列表。如果说变量是一个能装下一个值的盒子，那么数组就像是一个带有许多抽屉的橱柜，每个抽屉可以存一个单独的值。

创建一个包含三个元素的数组

```
my_first_array = [1, 3, 5]
```

注意

计算机跟人类不同，它们计数是从0开始的。所以，数组的第一个元素编号是0，第二个元素是1，以此类推。这一点很容易被忽略，你若是偶尔出了错，也不要灰心。

创建数组

要使用数组，我们得用到另外一种括号——方括号[ ]。创建数组时，我们将所有要存的数据放到方括号中，用半角逗号隔开。这些数据在数组中被称为“单元”或“元素”。数组中的数据可以读取、修改。当你要求程序去访问某个元素时，你得给它一个索引，就像书本的页码，其实就是这些元素从数组开头算起的编号。

象棋之外

要访问指定的单元数据，我们又要用到方括号了。用方括号包上指定元素的索引号，就可以访问这个元素。比如，x[0]表示数组x的第一个单元。如果只写x，不带方括号，则表示整个数组。

```
my_second_array = [2, 5, 6, 8]
print(my_second_array[0])
>> 2
my_second_array[1] = 3
print(my_second_array)
>> [2, 3, 6, 8]
```

显示第一个元素——记住，数组的索引从0开始！

修改第二个元素——第二个元素的索引是1

显示整个数组

你可以对数组来做一些好玩的事情，比如检查它有几个元素，调整元素的顺序，增加新元素或去掉某些元素等等。如果你去掉了一个元素，那么后面的元素就会顺位向前移动，就像抽掉火车的一个车厢一样。

世界上第一位程序员

来认识一下阿达。阿达·洛芙莱斯生于1815年，是世界上第一位程序员。她的出色令人钦佩，要知道，在她那个年代，女性顶多干一些女红活儿，没有人指望她们还能有什么更高难度的作为。更厉害的是，她在程序方面的成就，竟然比计算机的诞生还早一百年……

阿达是著名（且绯闻缠身）的诗人拜伦勋爵的女儿。从小，她的母亲就让她学习数学和科学，以防她受影响而步父亲的后尘。于是，她爱上了数学和科学。17岁那年，她遇到了一位改变她一生的男人：查尔斯·巴贝奇。

象棋之外

巴贝奇是一名工程师、天文学家和发明家。当时的天文学家需要做很多算术类的工作，巴贝奇就想要制造一台机器来帮他做这些。他希望这台机器既乐此不疲，又不会出错。

当时还是19世纪20年代呢，那个年代没有计算机芯片，没有晶体管，甚至连电都没有。不过，这一切都没能阻止巴贝奇。他设想使用齿轮等机械装置来制造这台机器。他将它命名为“差分机”。

巴贝奇在这个项目上花费了20年时间，也用掉了政府大量的资金。但是，当时的技术远远落后于他的设想，这台机器最终没能造出来。

阿达遇上巴贝奇的时候，他将自己的设想告诉了阿达。那是一台更为复杂的机器——分析机，可以进行任何类型的计算。这是人类历史上第一个对计算机概念的设想。阿达被这个设想吸引住了，她开始协助巴贝奇研究这台机器的工作原理。于是，她成为世界上第一位懂得如何为计算机编程的人。分析机同样从未成功面世，但这并不妨碍阿达研究它。当时，巴贝奇还在考虑如何用它做简单的数学计算，阿达看得更长远，她预见到未来的计算机能够做一些令人惊奇的事情，就连作曲也不在话下！

小窍门

虽然阿达从未见过真正的计算机，但有现代工程师将一种编程语言命名为Ada，以纪念她。

分析机

有用的函数

到目前为止，我们的代码示例都是简单的指令，并且按顺序执行。其实，哪怕是最简单的程序，都建立在函数（function，有些语言也管它叫“方法”）的基础上。所谓函数，就是可在程序其他地方调用的独立代码块。函数允许你将代码写成容易管理的区块，当你在其他地方要求程序做同一件事时可以调用它，而不需要复制粘贴代码。

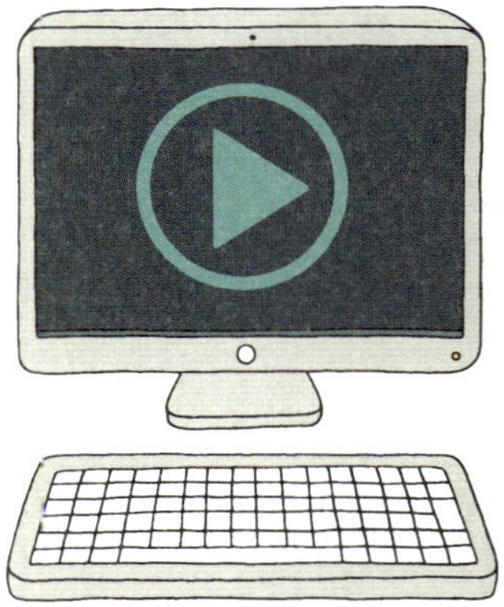

调用函数

函数定义的关键词通常因编程语言不同而不同，如function或def。函数定义之后需要一个唯一的名称，这个名称跟变量名称一样，不能有任何空格。名称后面是一对括号，括号里是若干参数。这些参数就是传递给函数的变量，以后在程序里还可以调用。最后，再套上一些花括号。这些元素定义了组成函数的代码块。

在程序中，你可以在任何地方调用某个函数。写下函数名称，后面加一对括号，括号里放上这个函数定义好的那些变量，就可以调用这个函数。你应该注意到了，这看起来跟调用print语句没什么两样。这是因为print本身就是它的语言所定义的一个函数，跟你自己定义的函数一样有效。

在参数或代码块中所声明的变量，作用仅限于那个代码块：它们在代码块之外并不存在。这就意味着，你不需要担心变量重名。只要同一个代码块中的变量不重名，那就没问题。

从函数返回

函数可以包含任何代码，随你喜欢，还可以包含一个特殊的语句：return（返回）语句。当程序遇到return语句时，它会立即中止，不再执行这个函数中余下的代码，直接返回到调用该函数的那一行代码。如果你的return语句只有“return”一个单词，那程序就会直接返回。如果“return”有变量或值，那么程序就会返回这个变量或值。如果运行到函数的结尾，没有遇到return语句，那么程序就会不带任何值返回。

定义一个含有参数的函数

```
function calculate_square(my_var)
{
 result = my_var*my_var
 return result
}

var = calculate_square(3)
var = calculate_square(var)
print(var)
>> 81
```

返回变量“result”

调用函数，并将值3传进去

再次调用函数，将result值传进去

编程工具

究其竟，程序代码就是文本而已，所以你可以用任何文本编辑器来写代码。这么多年以来，开发者们发明了很多工具，让编程变得非常简单。

聪明的文本编辑器

有些文本编辑器是专为写代码而设计的。它们有一招非常有用，那就是用不同的字体颜色将变量、语句和其他东西区分开来。它们会突出显示字符串——如果你忘了用右引号，那么这个字符串就会没完没了……

编辑器要用上这些招数，就得读懂你使用的编程语言。大部分的编辑器都能支持很多常用的语言。有些编辑器能根据你的文件后缀名识别出编程语言（比如.py表示Python），有些则需要在菜单里设置编程语言。

编辑器的这些小招数可能听起来没有什么大不了，但它们大大提高了代码的可读性，也大大降低了写代码的难度——只要你试过一次，肯定不会再去碰那个老古板的黑白文本编辑器了！

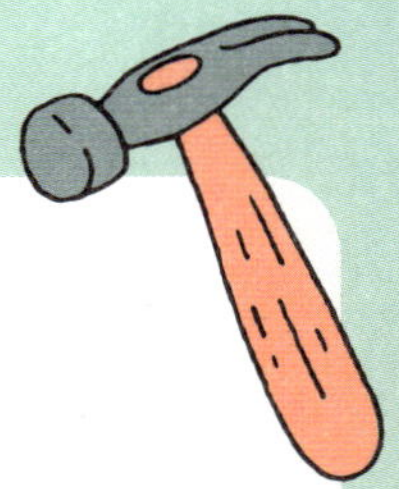

集成开发环境

集成开发环境简称IDE，表面上就是一个文本编辑器，实际上它比普通编辑器强大得多。除了智能文本颜色之外，IDE还有一个“Play”按钮可以直接运行你的程序，还能查找和整理你所有的函数。有一些IDE甚至还有更为复杂的工具，比如内置的调试器。IDE比文本编辑器复杂得多，通常不能够仅经由简单设置就上手使用。你需要先为它配置你使用的每一种编程语言，而且有的IDE可能只支持一种指定的编程语言。

几乎每个程序员都会使用某种智能的文本编辑器，但并非都使用IDE。你可以从文本编辑器开始，以后再尝试使用IDE，看看它对你有没有帮助。

用浏览器写代码

现在互联网上有一些站点，你可以直接使用浏览器来编写、运行和验证各种语言的代码。不需要在电脑上安装任何东西，就可以直接入门，开始写一些简单的程序。这真是太棒了！

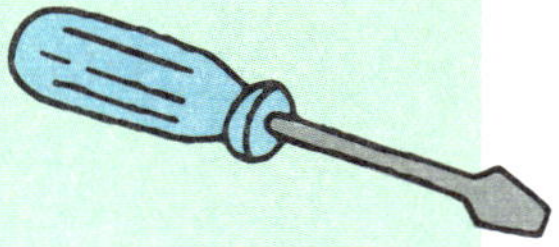

循环

计算机擅长不断重复做同一件事。如果你想要程序重复做某事，你可以多次复制粘贴你的代码，但那样会占用大量空间。

有一个更好的办法，那就是将代码块（记住，代码块要用花括号包起来）放到一个叫“循环”的结构里，循环结构里的代码会多次运行。

while循环

最简单的循环模式是while循环。之所以叫while（当）循环，是因为它会在某条件为真的情况下，重复运行。使用这个循环，你写的代码就会不断运行，直到出现意外。

```
print(“数字不断乘以2会变大
变得超级快”)
x = 1
while (x<=1000000)
{
  x = x*2
  print(x)
}
print(“现在X比1000000
还大啦！”)
```

这一行代码在循环之外，所以当循环中止时，它开始运行

让x翻倍

持续循环运行，直到x大于1000000

for循环

如果你想要程序循环执行固定的次数后中止循环并往下走，那么就可以使用for循环了。for循环会在指定次数后退出循环。for循环包含循环索引，索引会记录下程序已经执行过的循环次数。注意，就像数组一样，循环索引从0开始，而不是从1开始。

```
print(“倒计时开始……”)
for (i, 10)
{
  print(10 - i)
}
print(“发射！”)
```

i是循环索引，要求循环10次

程序会从0数到9，这里的倒计时则从10到1

for循环的次数可以是固定数字，如左边的示例，也可以是一个整数变量。不同的编程语言写for循环的方式会有所差异，所以在写之前，你得先查查看你的语言是如何写for循环的。

小窍门

for循环中有一些代码可以对循环造成影响。比如，continue指令会让程序跳过当前循环剩余的代码，回到开头重新开始一轮循环，break指令则告诉程序立即退出循环。

开始动手写代码！

我们已经了解了一些关于编程的基础知识，现在你该自己动手试试编程啦！才刚开始，咱们别折腾那些复杂的编码，就从最简单的Scratch开始吧。Scratch这门编程语言非常简单，可以将代码拖曳摆放到你想要的位置上。哪怕在平板电脑上也能用！

https://scratch.mit.edu

登陆www.scratch.mit.edu，点击“Create”进入编码区。你可以从左边的菜单拖曳代码段，与其他代码段合起来，组成程序。现在就拖几段试试吧，你需要将代码段的凹凸口对上。你也可以将它们拉开，从显示屏上拖走以作删除。左边不同的菜单上有不同的代码段可以取用，你自己可以点击切换看看有什么可用的。

所有的程序都要从“事件”区的代码开始。你可以从事件代码段的形状看出来，它们的头部都有一个肿起来的包，所以没有其他代码段可以放到它上面。先选用那个带一支旗子的代码段，将其他代码段连在它下方。然后，点击左上方的旗子，运行你的程序。

发射！

好了，我们来写代码吧！

我们来创建一个程序，从10秒开始倒计时，然后显示“发射！”，就像火箭发射任务控制器那样。下面是一些操作提示：

- 你要重复做一件事（倒数），所以你需要一个循环。
- 你还需要一个变量，来记录当前倒计时到了多少。
- 你需要将变量值显示出来，然后将这个值按循环逐轮减少，完成倒计时。

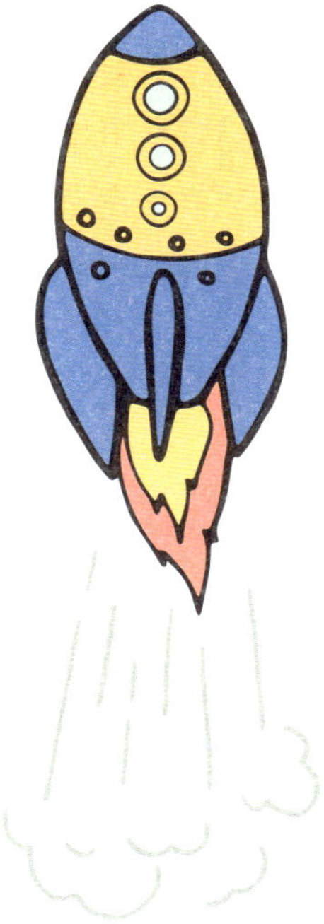

你也可以翻看第37页的示例。但是，这里使用的是另一门语言，所以不能够直接抄过来！你会发现，不同的编程语言通过稍微不同的方式来完成同样的工作。如果你实在写不出来，那就看看本页下方的参考答案。

完成了这个程序之后，不妨再写一个程序，当倒计时结束时，尝试让字符真的发射出去。

提示：你需要另一个循环，一个move命令和一个wait命令。

参考答案：

- 创建一个开始事件（带一支旗子的那个事件）
- 添加一个变量，命名为countdown（倒计时）
- 将countdown设为10
- 放入一个循环（使用repeat命令），循环10次
- 然后，在循环内：
  设置变量countdown每1秒循环
  设置每次循环countdown值减去1
- 循环结束后，显示“发射！”持续2秒
- 点击旗子按钮，开始运行程序！

比特与字节

拿一个超级强大的显微镜来观察计算机的CPU，我们不会看到我们在程序里摆弄来摆弄去的那些数字、文字或其他值，而是会看到几百万个晶体管。晶体管是一种极小的on/off开关。当开关为开时，记为1，当开关为关时，记为0。计算机中所有的东西无论多复杂，归根到底都是由1和0组成的。

每个1或0，称为比特或位，全称是“二进制位”。每一比特可以设为1或0。比特相当于组成计算机的原子：说到底，计算机就是由比特组成的。

8位一体，更多信息

早期的计算机并不直接以比特或位为单位处理数据，而是将8个位凑成一组。8位是计算机一次读取或写入的最小单位。8个位组成一个字节，一个字符就占用一个字节，比如“a”或“+”。

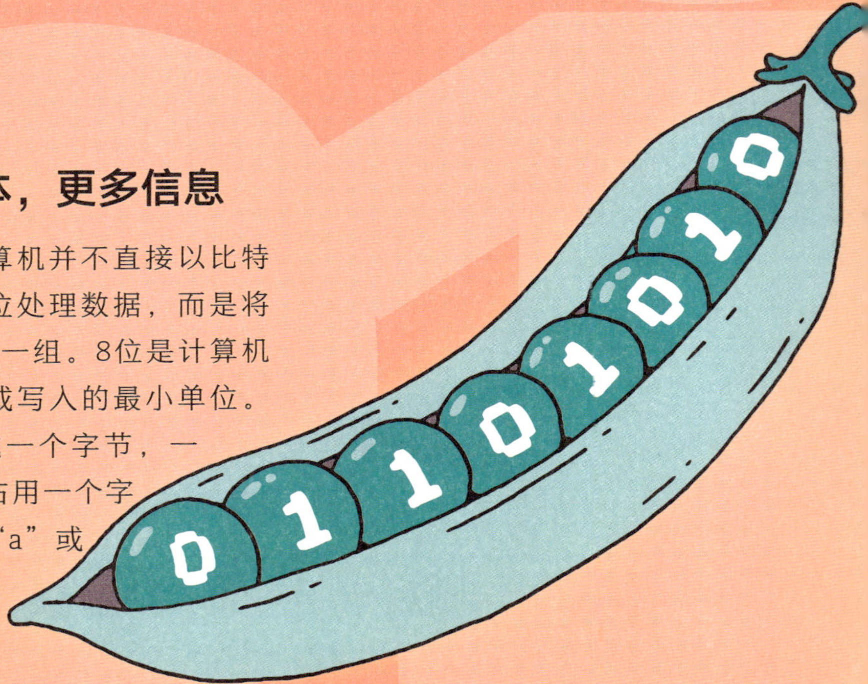

但是字节信息也极微小。如今我们需要大得多的单位！一个“千字节”（kB）即1000个字节，一个“兆字节”（MB）即1000000个字节，一个“吉字节”（GB）即1000000000个字节。还有更大的单位呢，“太”（tera-）有12个0，“拍”（peta-）有15个0，“艾”（exa-）则有18个0，等等。不过这些单位我们一时半会儿还用不上，它们目前都还是超级计算机专用的！

计算传送的位速率

计算机间互相传送的数据量，其实指的是位速率，即每秒传送的比特量。位跟字节一样，也有较大的单位，如千位/秒、兆位/秒，等等。为了不跟字节混淆，我们一般用MB（大写的B）表示兆字节，用Mb（小写的b）表示兆位。

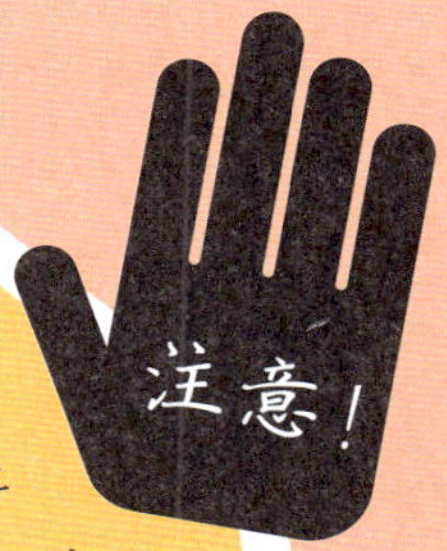

说也奇怪，千（kilo-）的缩写是小写的k，但兆（mega-）和吉（giga-）的缩写则是大写的M和G哦！

怪事还有一桩呢！1千字节有时候表示1000个字节，有时候表示1024个字节，所以1个兆字节有时候是1024×1024，以此类推。这是因为1024是2的10次方，如果我们要处理的数字都是2的幂，那事情就会方便得多，下一页我们会再展开来说。1000和1024非常接近，所以我们一般不需要管得太细，使用哪一个都相差不大。

位……………………1位
字节………………8位
千………………1000字节
兆……………1000000字节
吉…………1000000000字节
太………1000000000000字节
拍……1000000000000000字节
艾…1000000000000000000字节！

计算机如何计数

咱们人类使用十进制数数，也就是说，我们可以使用0到9一共10个数字进行组合，产生更大的数字，如42。十进制以10为基数。人类使用十进制，是因为人类最初学习计数时，使用手指来一一对应。我们有10根手指，所以我们数数就以10为基数。

0 1

逢2进位

计算机可没有手指。我们已经知道，计算机眼里只有0和1。这就是说，计算机计数只有两类数字：0和1。这种计数方式以2为基数，称为二进制。

在二进制中，0和1可以组合产生更大的数字。我们知道，十进制从0到9，然后就是10、11、12，二进制也一样，只是进位更快一些：1，然后10，随后就是11、100，以此类推。再往后数，数字就会显得越来越笨重，比如将86写成二进制数，就是1010110。

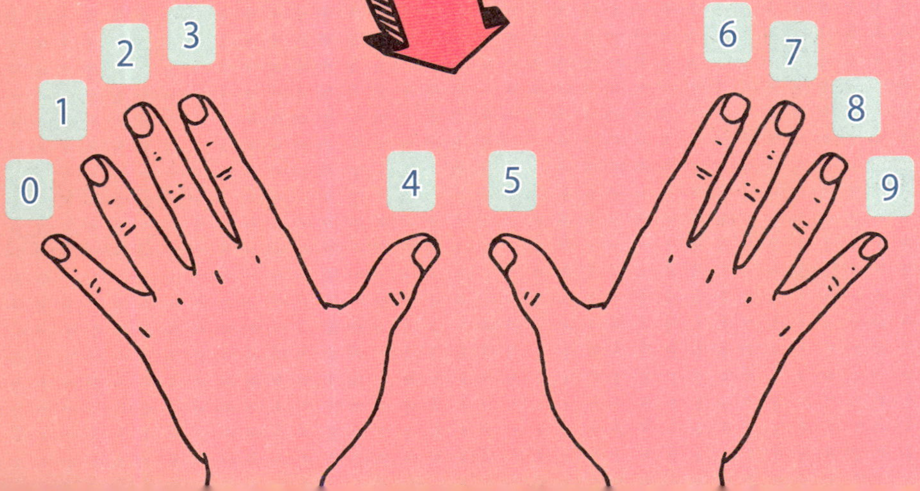

小窍门

既然你已经理解二进制了，那你现在应该能够看懂这个古老的段子了：世界上有10种人，一种人懂二进制，另一种人不懂二进制。

0 1 2 3 4 5 6 7 8 9 A B C D E F

逢16进位

实际上，程序员使用得更多的是第三种计数方式：十六进制。顾名思义，十六进制以16为基数。十六进制非常有用，是因为16是2的幂：16=2×2×2×2。这样一来，二进制和十六进制之间的互相转换非常简单。一个字节（8个位，即8个二进制位）就等于两个十六进制位。

十六进制以16为基数，也就是说十六进制有16种数字。我们平时用不到那么高的数，所以十六进制使用字母来补足16个数字：像十进制一样从0到9，随后跟上A、B、C、D、E、F。比如，将十进制的30写成十六进制数，就是1E（1×16+14）。使用十六进制，两位数就能数到255（即FF，用二进制数写就是11111111）。

试试将下面三个十六进制数写成十进制数。

a. 1C

b. 31

c. A8

十进制	二进制	十六进制
1	1	1
2	10	2
3	11	3
4	100	4
5	101	5
6	110	6

十进制	二进制	十六进制
7	111	7
8	1000	8
9	1001	9
10	1010	A
11	1011	B
12	1100	C

十进制	二进制	十六进制
13	1101	D
14	1110	E
15	1111	F
16	10000	10

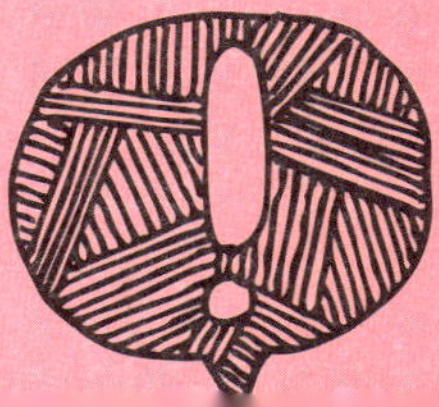

参考答案：a. 28；b. 49；c. 158

保持代码整洁

刚开始写一个程序的时候，要纵观整个程序大局还是相当容易的。但当程序越来越大，或者你离开一阵子再回头继续写，你就未必还能记得你处理代码的所有因由了。所以务必保持代码整洁，这样能为日后省下很多麻烦。下面是一些让代码整洁的窍门。

有效的命名

在给变量或函数命名时，不要使用隐晦的或简短的名称，要使用直白、描述性的名称。比如说，你有一个变量用来存储某人拥有的猫的数量，那么不妨将它命名为number_of_cats，而不要用简单的c或noc。另外，也不要在程序中重复使用前面用过的变量去存储完全无关的数据，比如number_of_cats就不适合用来存室内温度值。创建一个新的变量有多难吗？又不花钱！

短代码行

试着保持代码简短，让每一行代码都简单明了，不要超行显示。这样你就不需要来回滚动查看代码，每行代码也都简短清晰，能让你一眼看出它是干什么的。

驼峰命名法和蛇形命名法

变量和函数的名称不允许有空格，不过程序员们还是想到了很多办法，能在命名时使用多个单词又不至于太难辨认。

有一种方法是将所有单词都连着写出来，从第二个单词起，大写每个单词的首字母：justLikeThis。这种方法叫作“驼峰命名法”，因为大写字母让这串字母看起来有点像骆驼的驼峰。还

有一种方法是保留小写字母，但将单词间的空格换成下划线“_”：just_like_this。这种方法叫作“蛇形命名法”，因为这样的名称又长又瘦，看起来有点像蛇。

有些程序员喜欢驼峰，有些则喜欢蛇形。濯缨濯足，随你喜欢。但是不管选用哪一种命名法，在同一个程序里最好保持一致，否则看起来会一团糟。

// 注释

你可以在代码里加注释。注释就是放在代码里作为提示的文本，以让你自己或其他读到代码的人知道这个函数是干什么的，或某个特定的地方会发生什么。注释的语法各有不同，但通常都以“//”开始。本书为让读者更好理解，示例代码中一律使用图形框代替传统注释。典型的示例代码应该是这样的：

```
print (“Hello, World!”) //
记住，字符串必须用引号包起来
```

有些人可能会过度使用注释——如果代码本身已经很清晰，那就不要加注释。不妨记住这样一条规则：给每一个函数加注释说明函数的作用，以及给每一处特别复杂的代码加注释。

计算机内部

PC、笔记本电脑、智能手机和平板电脑看起来都不一样，但它们内部的核心组件都是一样的。

CPU

CPU即中央处理器，是计算机的大脑。它是计算机赖以执行程序、读取机器代码、进行所有运算以及执行所有指令的零件。如今的CPU都是指甲大小的硅芯片，而这么小的芯片上就有几十亿个晶体管，每个晶体管小到可能只有十几个原子那么宽。CPU中囊括如此庞大数量级的晶体管，也就意味着它在运行时肯定会严重发热，所以大型的、强大的设备通常还会有内置风扇，来为CPU降温。

硬盘存储器

硬盘存储器是系统用来存储数据的地方。它不仅存程序，还存图片、影片、音乐和其他文件。硬盘存储器不需要依靠电池或电源，哪怕计算机关机了，它也不会忘掉任何东西。以前计算机硬盘存储器一直都以机械硬盘驱动器的形式存在，直到近年才有所改变。机械硬盘使用一叠薄薄的金属制碟片，以磁力驱动来存储数据。现在越来越多的系统（尤其是手机之类的小型系统）改用固态硬盘存储，使用“闪速存储器”这种计算机芯片来存储数据。

内存储器

计算机中的硬盘存储器能存很多东西，但从硬盘读写资料却相当缓慢（跟CPU的运行速度相比确实缓慢）。计算机还有一个快速存储器可以解决这个问题，这个存储器叫作“内存储器”或“RAM”（Random Access Memory，随机存取存储器），简称内存。计算机的内存工作起来要比硬盘快得多，程序和其他文件运行的时候就存在内存上。内存条要比硬盘昂贵得多，所以内存的空间一般比硬盘小。内存具有依电性，也就是说，内存需要持续供电才能保存数据。计算机一旦关机，内存上的数据就会全部消失。

输入/输出（I/O）

除了那些内部核心组件以外，计算机还备有输入设备，如鼠标、键盘、触摸屏；以及输出设备，如显示器、喇叭。你通过输入设备与计算机通信，计算机则通过输出设备与你通信。这些设备一般不会直接内置于机器中，所以大部分的计算机都会为这些设备设有外接口。诸如鼠标和喇叭之类与计算机相连的设备，也叫外围设备。

用户界面

到目前为止，我们已经知道可以通过文本行与程序进行交互，这是最简单的交互方式了。这种方式被称为命令行界面（command line interface），简称CLI。CLI对于大多数的计算机使用者来说还是有门槛的。所以，还有另一种交互方式。

图形用户界面

另一种交互方式就是图形用户界面（graphical user interface），简称GUI。GUI为使用者展示图形、菜单和其他的元素，允许使用者使用鼠标或触摸屏与程序进行交互。要做GUI，需要投入比CLI更多的工夫。所以，你可以先不考虑这个，等掌握了编程的基础知识再说也不迟。不过话说回来，GUI确实非常易用。

要创建GUI，要先有GUI框架。每一门编程语言都有自己的一套框架，以不同的方式来帮助编程者为程序创建GUI。有些编程语言有内置的GUI框架，从内置框架入手最好不过了。当然，也有许多其他的框架可以下载来用。

交互元素

GUI框架各有不同，但同样的是它们都以一些关键的元件为核心。想想你用过的程序，你肯定能认得出来：

文本框

用以向用户展示文本，或允许用户填写文本。

按钮

供用户点击，让程序按指令行事。

下拉列表

用以列举选项，供用户选择。

使用GUI框架，可以定义诸如按钮之类的元素，包括它们的位置、尺寸和其他属性。GUI框架内通常会有一个GUI设计器，你可以用它画出图形界面，它会自动将这些图形生成代码。虽然入门的最佳方式是用代码写几个按钮，以助理解GUI框架的工作原理，但使用GUI设计器还是要高效得多。

小窍门

按钮之类的元素背后，其实是一种特殊的函数，"回调函数"。所谓回调函数，其实就是一个普通的函数，它的名称被传给了另一个函数，另一个函数会在条件合适的时候调用它。当用户点击按钮时，这个回调函数就跑起来了。

复选框

是用户可以勾选，或剔除勾选的选项。

单选按钮

类似复选框，但用户只能选择其一。

标签

用以描述除标签外其他所有元素的作用。

滚动条

当页面元素超出屏幕时，供用户滚动页面之用。

物以“类”聚

至此我们所看过的编程示例，都是使用独立变量和函数的过程式编程的例子。自20世纪70年代起，有一种编程思想日渐风靡，那就是“面向对象编程”（object-oriented programming，简称OOP）。这是一种围绕类的编程思想。

分门别“类”

类是一种将变量和函数存到它们所属的对象的方式，如果没有类，变量和函数就会乱七八糟，毫无章法可言。举个例子，如果你想写一个关于狗的程序，你可以创建一个dog()类。在此之后，你再创建任何与狗有关的变量或函数，都可以让它们成为这个dog()类的成员。

类和函数一样，在使用之前也需要定义。定义类需要使用花括号，括号内放置属于这个类的函数和变量。在一些编程语言中，类的成员函数被称为“方法”。

使用类能将变量和函数合理地分门别类。除了这一个好处之外，使用类还意味着，每次你要提到狗，只需实例化dog()这个类即可。实例化某个变量，即给类体里的某个变量赋值以使用它，就像平时给变量赋字符串或整数的值一样。你可以使用点操作符“.”访问这个类中的任何函数或变量。函数也可以通过指向this或self（按具体编程语言）来访问类体内部的变量。

```
class dog()
{
 name = “未知”
 function speak()
 {
  print(“汪汪！我的名字是”+this.name)
 }
}

my_dog = dog()
my_dog.name = “雷雷”
my_dog.speak()
```

定义dog()类

这个变量是dog()类的成员

这个函数也是dog()类的成员

使用类内部的变量“name”

实例化dog()类

把“雷雷”赋给my_dog的“name”变量

显示“汪！我的名字是雷雷”

调用构造函数

上面的示例有一个问题，那就是在调用speak()函数之前你得定义好“name”这个变量，否则你得到的结果就会不合理。绝大多数时候，类的变量要先初始化才可以使用。而面向对象编程则使用构造函数解决了这一问题。构造函数是放在类里的特殊函数，当你实例化类（如给类中的某变量赋值）时，程序就会调用构造函数。在上面的示例中，你可以修改类定义，给它增加一个构造函数，用来为name变量赋初值。那么，你可以这样写：

another_dog.name会马上被赋值

```
another_dog = dog(“Spot”)

another_dog.speak()
```

显示“汪！我的名字是斑斑”

继承

我们已经知道，类是存储和重复使用与某事务相关的函数和变量的好办法。还有更棒的呢，类还有一个特性可以让你将重写代码的需求降到最低，提高代码逻辑性，那就是：继承。

认识子类

通过类继承得来的类，就是子类型，被继承的类则是父类型，或基类。子类继承父类所有的函数和变量，也可以拥有它自己的函数和变量。

比如说，当你定义了dog()类，你可以给指定它的子类为特定的犬类品种。所有狗都通用的东西，进入dog()类，而指定的犬类品种才有的东西则进入单独的子类。每一个子类是特定的犬类品种，拥有自己的特点（如毛色等等），也拥有父类的全部属性，即拥有所有狗通用的特征（如四只脚等等）。

```
class husky() inherits from dog()
{
 function howl()
 {
   print(“嗷呜！”)
 }
}

my_dog = husky()
my_dog.howl()
my_dog.name = “蓝蓝”
```

类的多态

继承关系不仅规避了给子类写相同代码的麻烦，还能让你灵活使用函数。无论何时，但凡你的函数有一个参数是类，你都不一定非得引用父类，只要引用子类即可。为什么呢？我们还是拿上面的示例代码举例，因为类husky()的实例必定同时是类dog()的实例。这就是类的多态性。

在默认情况下，子类继承父类的所有变量和函数。子类也可以通过“重载”来改变父类的特性。要实现重载，只需要使用与父类里的函数同样的签名（即名称和参数）来定义子类的一个函数就可以了。这样一来，子类中定义的函数就会重载父类的同名函数。也就是说，只要这个函数被调用了，子类中的这个函数会优先于父类被使用。

发布程序

刚入门编程的时候，你写程序可能只是为了学习，或是自娱自乐，其实编程最棒的是把写完的程序分享给别人的时候！

对于简单短小的程序来说，完成编程之后再让别人试用这个程序，听起来挺合理。但对于庞大而复杂的程序来说，合理的做法其实是在程序还未完成时就分享给别人试用，因为此时用户给你的反馈可能极其宝贵。

alpha版本和beta版本

当你将程序写到基本能跑起来，又尚未全部完成的时候，你可能想要跟你的亲友分享一下，也许他们能给你提一些意见。在软件编程中，此时发布的一般称为内测版本，也叫alpha版。

问问他们觉得不错的地方，也问问他们认为还需要改进的地方。如果在这个阶段能得到用户反馈，调整起程序就好办得多，等写完整个程序再调整可就太迟了！

当你觉得程序已经写完了但还有未消除的bug，此时发布的版本叫作公测版本，也叫beta版。跟alpha版一样，还是分享给亲友，但这一次要请他们随便玩，看看能不能想法子把程序运行坏。这一轮的中断修复就是所谓的用户验收测试（beta testing），而参加这项测试的人就叫beta测试员。

进行公开测试，就是为了确保程序完全按你的设想运行，以及确保用户使用程序时不会遇上大问题。

版本管理

每一次发布都带上版本号，可以有效地跟踪所有程序版本。越新的版本，版本编号就越大。一般来说，预发布的程序版本（如alpha版和beta版）会使用“0.x”这样的版本编号格式，如0.1、0.2、0.14等等。每次更新程序版本，就给版本编号小数点右边的数字往上加一。

第一次正式发布的程序版本一般是1.0——“1”表示准备就绪可以发布了。如果你在1.0之后还要继续推出新版本，增加新功能或是修复旧版本的bug，还是一样，给小数点右边的数字往上叠加就行，如1.1、1.7、1.16等等。如果你对程序做了特别大的改动，你可以将新版本命名为2.0，表示这是程序的全新版本。

代码之外

编程其实除了写代码以外，还有很多周边的事情。你看啊，假如你写出了世界上最棒的程序，但没有人知道怎么使用这个程序，那又有什么用呢？所以，说明文档和技术支持就很重要了。

说明文档

说明文档即是用于解释如何使用你的程序的说明文字、图片，有时也用视频。在早期，程序会被装在大大的纸板盒里售卖，因为除了程序本身（装在CD或软盘里）以外，还会有一本厚重的用户使用手册，里面写满了所有的使用指令。

现在，程序的说明文档一般都放在了互联网上。在理想的情况下，你最好写一份说明文档，告诉用户程序的安装步骤，并且介绍程序的各种功能。写文档可能会占用你一些时间，而且也不如写代码那么有意思，但如果你打算将程序发布给那些无法当面向你咨询的人，那么，说明文档就相当重要了。你可能会发现，写说明文档这个过程还可以帮你改进你的程序——如果你觉得某个功能解释起来很麻烦，那估计你的程序得改一改了……

通常，放置程序使用说明文档最好的地方，就是程序本身。有些程序会内置新手引导，带领用户逐步完成某些任务，以向他们介绍程序的基础功能。还有很多程序在界面上放了问号图标，当用户点击问号图标时，会弹出辅助屏幕或帮助页面——弹窗的内容介绍的就是问号图标所在位置的功能点。

如果你发现用户总是向你咨询一些相同的问

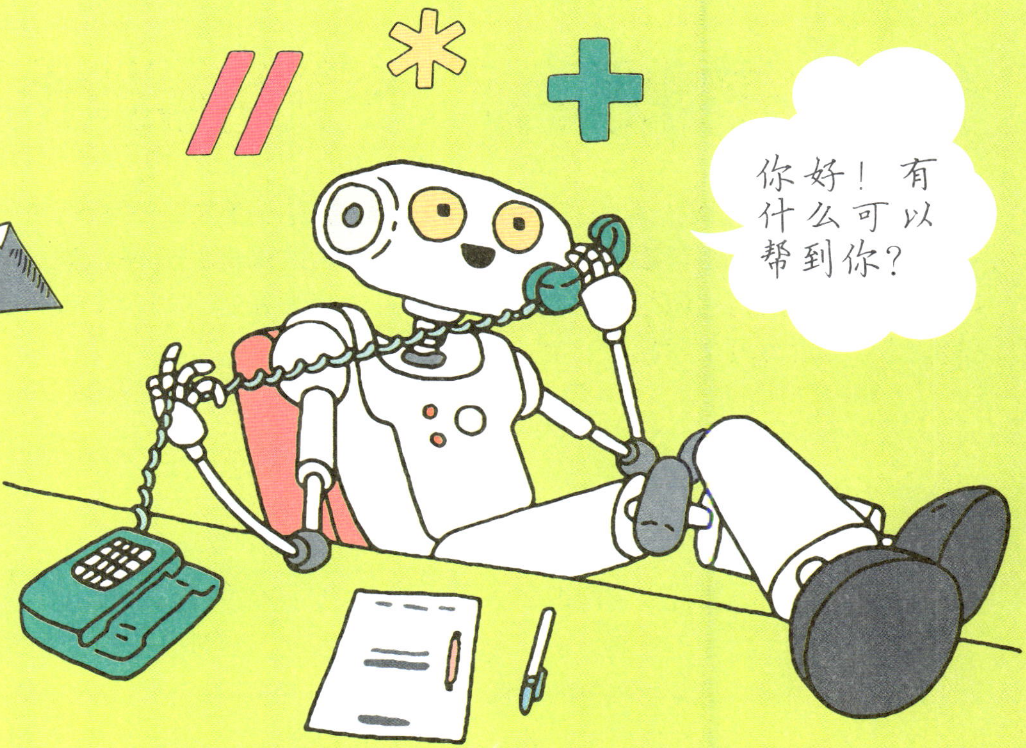

题，你可以将这些问题做成FAQ（即常见问题）文档。做一个文档页面，按“问题+答案”的格式列出常见问题。这样一来，用户就可以很轻松地找到他们可能会遇见的问题。

技术支持

专业的软件公司有专门的技术支持人员，他们的工作是帮用户了解并尽可能顺利地使用程序。

这是软件公司挣钱的一种方式，他们把程序发布出去，通过技术支持的收入保持公司运转。而其他认为他们的软件有用的公司，则付钱购买技术支持来帮他们最有效地使用这些程序，以及解决他们使用程序时遇上的任何问题。

你不是我喜欢的类型哦！

我们在前文捎带提过，有很多门不同的编程语言。就如人类的语言一样，这些编程语言也可以通过不同的方式，来表达同样的事情。有些编程语言之间有许多相似之处，就如西班牙语和意大利语那样。也有一些编程语言之间风马牛不相及，就如英语和粤语。

静态类型和动态类型

编程语言种类间的一个根本区别，基于它们对数据类型的定义。数据类型指的是变量的内容格式：整数、字符串、用户自定义类，等等。有些语言是静态类型语言，静态类型语言的变量通常使用相同的数据类型，在创建变量时就已经定义好数据类型。反之，动态类型语言的任何变量在任何时间都可以使用任何数据类型，并且任何时候都可以改变数据类型。

一般来说，动态类型语言写起来快一些，也更加灵活，因为你不需要告诉程序你打算使用什么变量类型，你也不需要担心给变量赋错了值类型。用动态语言写的代码没有那些数据类型声明，会显得更加简洁。

静态类型语言的一大优势，就是只要你运行程序，它就能找到所有跟数据类型有关的错误（如在变量中有字符串和数字相加），因为它清楚所有东西的类型所属。而用动态类型语言写的程序遇到这种情况，只会崩溃。

小窍门

动态类型语言有时候需要检查某个指定的变量是否使用了需要的数据类型。它的做法并不是检查变量本身的数据类型，而是验证你预想的功能是否正常（比如将这个变量值加上一个数字）。这种检查风格被称为“鸭子类型”，源自这个谚语：

“一只鸟走起路来像鸭子，叫起来像鸭子，那它就是一只鸭子。”

语言差异

一般来说，比起静态类型语言，那些使用动态类型的简洁又灵活的编程语言，普遍被认为写起来更为高级。这就意味着，动态类型语言与计算机能识别的机器语言之间的差异更为巨大。现如今越来越多的程序员都用起了高级语言，因为高级语言代码简洁、省时间，却能完成更多的任务。

不妨多试试几种编程语言，不同的语言适用于不同的任务。在学习新语言的过程中，你会学到新的编程技巧。只要运用得当，这些技巧能用到你所有的编程工作中。

图形化

以前的计算机专注于显示文本，如今的电脑已经可以制造令人惊叹的图形了——现在几乎每一部动画电影和电视节目，不管是2D还是3D，基本上都是用计算机制作的。

如果你要在程序里使用图形，你需要一个图形库。有些编程语言有内置的图形库，你也可以为每种语言下载一些其他的库。要是有内置的图形库就最好了，直接从它们入手。它们未必是功能最强大或最专业的，但它们通常简单易用，而且还能在网上找到许多帮助文档。

2D图形库

2D图形库可以用来画各种形状（不只是三角形、圆形和矩形，还有多边形之类的复杂形状），并且设置它们的颜色和外形。

它还允许你添加文本或者你从网上下载的图片。

要制作能动的图形，你的程序得画许许多多独立的动画帧。这些动画帧需要快速移动，使人的肉眼无法识别它是一帧帧的图片。你的图形库应该包含一些能自动处理这些动画帧的函数，而不需要你亲手写每一帧的代码。

3D图形库

有的图形库只能制作2D图形，还有一些图形库可以制作3D图形。使用3D图形库，可以用对象创造图形场景。

制作3D图形可能会很复杂，不妨先从2D图形入手。游戏引擎通常会有一些最简易的3D图形引擎可用。

“对象”可以是图形库提供的或你自己下载的立方体、圆锥体或更复杂的图形模型之类的图形元件。这些3D图形对象会被处理着色，然后系统就会根据虚拟摄像头所对准的位置，将对象以2D的形式展示出来。

小窍门

除了圆锥体、球体和长方体等图形元件以外，很多3D图形库还有……茶壶。想不到吧！这是因为早期的3D图形库作者需要一个用于做测试的模型。当时碰巧作者们在喝茶，他们小心翼翼地测量了茶壶的形状，用到图形库里，还把它分享给线上的其他人。这个茶壶后来成了动画界的内部笑话——很多动画师会悄悄将这个经典的茶壶藏到3D电影的背景里！

下一步去哪儿？

我们已经了解了编程的各种概念，如循环语句、条件语句和函数等等。此外，有一个基本的概念我们还没有接触过，那就是转向语句（goto statement）。

转向还是不转向，这是个问题

goto语句由两部分组成：一个位于程序中某个位置的标签，以及一个告诉程序去往这个标签的goto指令。当程序遇到goto语句，它就跳转到指定标签的位置，并从此处继续运行。

```
[lbl] my_label          定义一个标签
print("我会一直重复这句话！")
goto my_label           此时跳转到标签
```

不过，还是要小心使用。我们有充分的理由来让你相信，你完全不应该使用goto语句。使用goto语句的问题在于，虽然在程序中可以轻而易举地使用goto语句，但goto语句的数量越多，就越难理清程序根据这些语句跳转的路线。不用多久，程序就会乱成一团，形成“意大利面式代码”（即乱七八糟的代码），程序就很难调试了。

因此，虽然几乎所有的编程语言至今都还支持goto语句，但从20世纪60年代起，程序员们就已经开始被鼓励避免使用这个语句了。在编程术语中，不鼓励使用但仍可用的功能被称为“弃用功能”，表示当前已有更好的解决方案。在上面这个示例中，更好的解决方案是函数和循环。

又臭又长的烂代码

除了意大利面式代码以外，还有一些东西能让代码难以阅读和调试，包括：

- 大量类似的复制粘贴式代码
- 长度占了几屏幕的函数
- 过长的单行代码
- 含有过多参数的函数

程序员不喜欢这种又臭又长的烂代码。这种代码并非不能运行，但如果有什么要修改的话就会特别费劲，况且很难做到不出错，而一旦出了错，就特别难以修复。

如果你的程序有一两处或者更多处上述的问题，也别太担心，进行过多次修改的程序通常都会出现这种情况。解决方案就是进行代码重构，就像对程序进行一场大扫除。代码重构也是修改代码的一种方式，只不过不给程序增加新功能，而是让它在实现原有功能的基础上变得更易于管理。代码重构通常包括将重复的代码改成能在多个位置调用的函数，将过于冗长的代码行和函数拆分成代码块，以及用函数和循环代替goto语句。

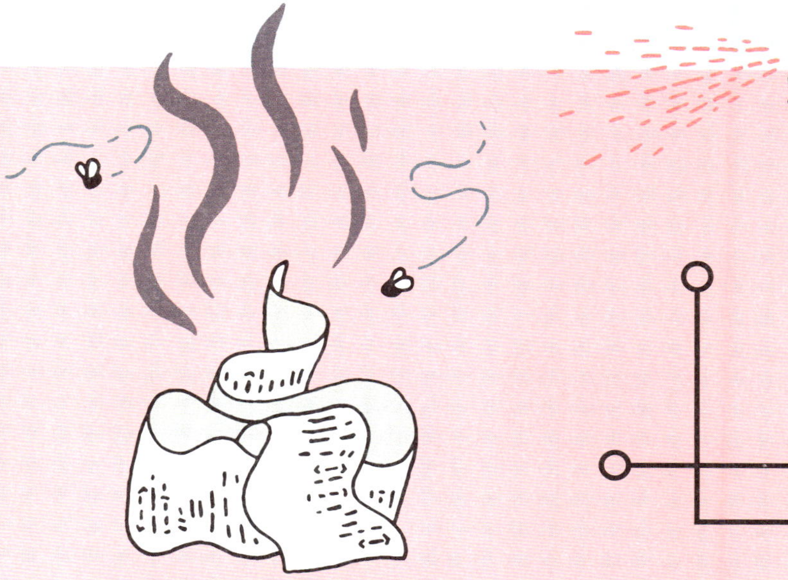

计算机发展之路

UNIVAC I（1951年）

世界上第一台被售卖出去的计算机，就是UNIVAC I（UNIVersal Automatic Computer，通用自动计算机1号）。它的重量相当于两头成年非洲大象，它需要的电力可以供250个英国家庭使用。它的售价相当于现在的2500万英镑。尽管体型巨大、价格高昂，第一批UNIVAC I仍卖出了46台，并且用于各种事务，从统计选举结果，到模拟原子弹爆炸，不一而足。

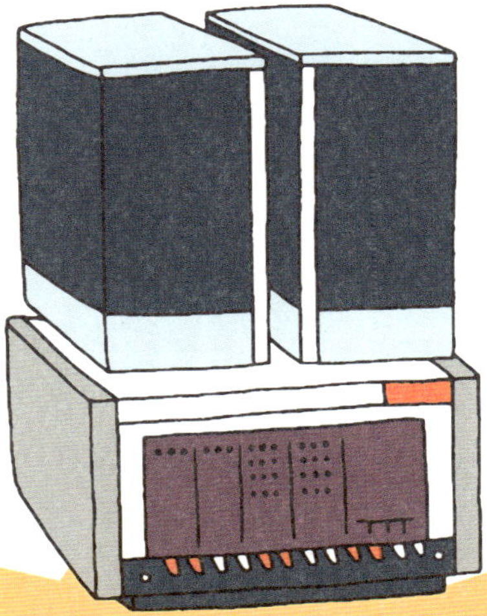

PDP-8（1965年）

PDP-8是第一台成功的“小型计算机”。“小型”在这里其实是一个相对的概念，它是相对于UNIVAC这种大型主机而言。其实小型计算机的体型仍十分庞大，相当于一个大衣柜，售价是18500美元（相当于今天的100000英镑）。虽然PDP-8的设计目的是尽可能廉价和简单，但由于当时技术的进步，PDP-8的运行速度仍比UNIVAC-I要快50倍。PDP-8获得了巨大成功，当时卖出了一系列款式，总销售量至少300000台。

M 5150（1981年）

20世纪60年代起，几乎每家计算机公司都尝试开发能摆在家用书桌上的“个人计算机”（即C），但制造出来的计算机要么体型过于巨大，要么系统过于复杂，要么价格太昂贵。直到1981年，IBM推出了5150，PC革命才终于爆发了。当时，5150的售价至少要1500美元（相当于现在的3000英镑），但市场欣然接受了它。到了1982年，IBM平均一分钟就能卖出一台5150计算机。而且随着它的功能拓展以及价格走低，家庭用户也开始购买这种计算机。到了1984年，IBM在PC市场一家独大。

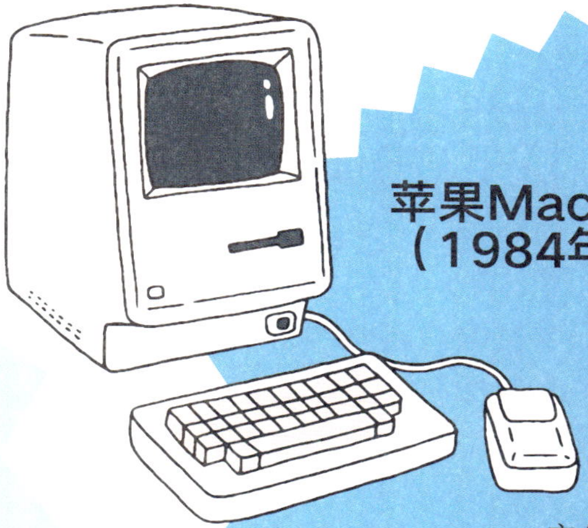

苹果Macintosh 128K（1984年）

苹果公司从1976年起就开始售卖PC机了，但在1984年才凭着Macintosh 128K名扬天下。这台计算机推出了一场声势浩大的广告攻势，将此前仅在若干小型PC机上出现过的新特性作为卖点——Macintosh拥有图形用户界面（GUI），可以让不谙技术的人们使用。不久之后，所有的PC机都有了GUI。不过，微软的Windows系统后来居上，比Macintosh更为成功。

苹果iPhone（2007年）

自从推出了Macintosh计算机，苹果就跻身计算机设计界的最前沿，并以此而闻名。2007年，苹果凭着iPhone推动了一场个人计算机的新革命，并且点燃了智能手机革命的火种，将计算机浓缩成一台可手持的待机设备。到了2011年，苹果已经成为世界上市值最高的公司，智能手机的销量在这一年也开始超过PC机。

脚本语言

各种编程语言按照其运行方式的雷同，归成若干类型。脚本语言就是其中很常用的一个类型。用脚本语言写的代码并不总是速度最快的，但它的特点是快速而小巧，方便编写和运行。脚本语言通常是动态类型语言。因此，脚本语言相当适合用于编程入门。

JavaScript

近年来，JavaScript大为流行。从表面上看，它是一门简洁的脚本语言——它的语法简单利落，并且与许多其他的语言兼容，如C++和Java。本书编写示例代码时就借鉴了JavaScript语法。

JavaScript之所以这么重要，是因为浏览器普遍支持JavaScript，设计网页的时候都可以用到它。这就使得JavaScript很适用于编程入门，分享程序给他人也变得特别简单。就算脱离了浏览器，JavaScript也像其他脚本语言一样，利用node.js之类的解释器就能运行。

注意!

出于简洁的考虑，本书的示例代码略去了一些JavaScript语法，比如用var声明变量，用分号来结束代码行等等。JavaScript语言的包容性很强，哪怕程序存在上述这些问题，它还是能照常运行不误。不过当然了，最好还是使用正确的语法。

Python

Python是另外一门常用的脚本语言，“python”的字面意思是蟒蛇。用Python来开发大程序非常简单，因为可以轻松添加很多库，提供额外功能。Python还有丰富的类库和多继承模式，用于面向对象编程也相当简单。

JavaScript的语法兼容早期的许多编程语言，而Python不一样，它做起事来特立独行。比如说，它不用花括号来定义代码块，而是用空格缩排（在代码块前用空格缩进）。又比如，JavaScript会使用for循环之类的东西，以及检查返回值的正误，而Python有其他的方式可以解决同样的问题，比如迭代器和异常通知。所以，如果你要入Python的门（入它的门准没错！Python是一门很棒的语言！），不妨读一些教程，尽可能清楚地理解它的运行方式。

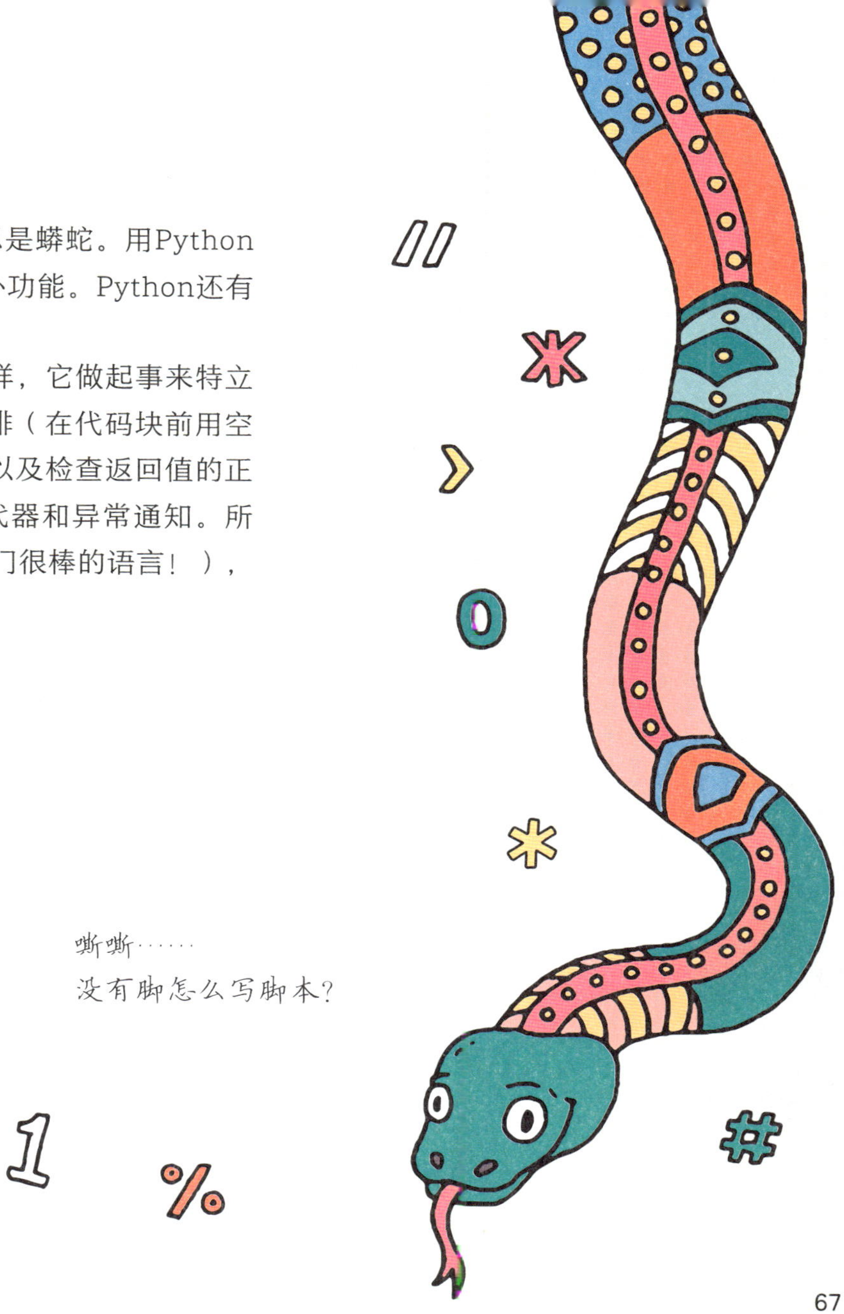

其他脚本语言

除了JS和Python，还有很多其他脚本语言，比如Ruby、Lua、PHP和Perl，等等。每一门语言都有独特的优势和用处，遇上了就动手攻克它吧，可别露怯！

继续动手写代码

但愿你喜欢第38页的第一次编程练习。Scratch是一门出色的语言，非常适合用来创建简单的游戏和程序。除了现成的代码块，它还有很多音乐和图片可供你选用。一旦完成，你立马就可以分享给你的朋友和家人，非常方便。不过，如果要把程序保存下来，你就得注册一个Scratch账号才行。登录之后，你还能把代码分享给别人。

学点新技巧

当你进入Scratch的Create界面时，右侧会自动滑出一个菜单栏，上面有大量的教程。这些教程可以带着你逐步完成这些编程项目。不管你要学习什么新的编程语言，跟着教程走总是入门的一个好办法，因为入门教程就是为让你熟悉所有东西而设计的，它们会一步不差地教你如何使用这些东西。去吧，去探索一下Scratch的教程吧。

你还可以在Scratch首页上进入Explore（探索）界面，看看别人创建的游戏和程序。你不仅可以玩这些游戏，你还能阅读它们的代码，看看它们的诞生过程！找几个看看吧，找一个你最喜欢的程序，检查它的代码，看看它是怎么运行的。你甚至可以修改它的代码，看看会对它造成什么影响——不用担心会弄坏别人的程序，你的改动不会影响主版本！

再试试吧

如果你有什么好想法，那就动手写吧！如果还没有想法，不妨参考以下项目：

写一个音乐程序，点击不同对象，播放指定的音符声。在左下方“角色”（Sprite）栏可以找到很多图形对象（“角色”对应的sprite是一个编程术语，表示一个2D图形）。在页面中间脚本栏中的“声音”（Sound）菜单可以找到音乐，另外在“事件”（Events）菜单中有“当角色被点击时”事件。Scratch允许你创建自己的角色，所以不妨一试，画一些黑色和白色的矩形，看能不能写出一个钢琴键盘来！

写一个游戏，让一个球在屏幕上弹来跳去，用户每用鼠标点击到球一次就得一分。你可以在脚本栏的“运动”（Motion）菜单上使用“移动”和“反弹”动作。你还得创建一个计分变量，就叫它“score”吧，每次点击到球就加一分，并让它显示计分。如果你搞定了上面说的这些东西，下一步不妨试试新功能，比如每次点击到球就让球加速弹跳，或者给游戏加上30秒的时间限制，这样你就可以跟朋友打比赛了。

自由的代码

世界上有很多人以编程为生——你买了一个视频游戏，一部分的钱就进了游戏开发者的口袋。但也有一些编程者会将他们写的软件免费发布在网络上。

有些人以此为爱好，有些人以此来学习编程，还有些人免费发布工具以帮助别人。

开源软件

还有一种特殊的免费软件，叫作“开源软件”。顾名思义，“开源”是指你不仅可以免费下载这个程序，还可以下载这个程序的代码（即源代码）。这就意味着，你可以阅读这份代码，了解程序的运行，甚至可以动手对它做修改！

开源软件就是这样，你看上了某个程序，你就可以下载它的源代码，对它做修改，给它添加新的功能。每个参与者在业余时间给程序做一个微小的改进，聚沙成塔，可能会创造出一个大程序，比如一个浏览器！你有可能在不知情的情况下使用过开源软件。

注意！

可惜，并不是网上所有的程序都是安全的。有些程序可能内含病毒，会破坏你的计算机，窃取你的信息！记住，在网上下载任何程序之前，一定要先跟父母或老师确认程序的安全性。

加入开源大军

大型的开源项目可能非常复杂，要加入这种项目，你得熟练掌握一种编程语言才行。不过话说回来，如果你有了一点编程经验，要理解真正的程序是怎样被写出来的，那么加入开源项目、利用开源代码来帮助理解是非常高效的办法。

在你考虑加入某个开源项目之前，要先确保这个项目还有活跃的成员。这样的话，如果日后你在项目中遇到问题，就会有很多人帮你解答。

修改代码

当你了解了这个项目的运作，你就可以开始给程序做修改了。要怎么开始呢？先从修复一个已知的bug入手吧。其他的成员会一起检查你的代码，如果你的代码有错误，他们就会告诉你；如果没有错，你的代码就会被合并到主程序中。

开源许可证

开源软件的代码可以免费下载、阅读和修改，但有一些开源软件对于如何分享给他人做了限制。这种程序会用一个用复杂的法律语言写的许可证书来说明这些限制。如果你只是在自己的电脑上做这些事情，那你就不需要担心许可问题了。另外，你看啊，与其总是下载和修改别人现成的开源项目，干吗不也发布出去，做成开源项目呢？假如你自己写了一个有意思的程序，这是将你的程序发布出去的好办法呀，还能向大家显摆显摆你的能耐呢！

机器人的崛起

如今，计算机程序已不仅仅能控制PC机、智能手机和平板电脑了。将你的代码和一些电子产品组合起来，你就能造出一个机器人！而且，不管你的编程经验在什么水平，机器人编程在今天再容易不过了！

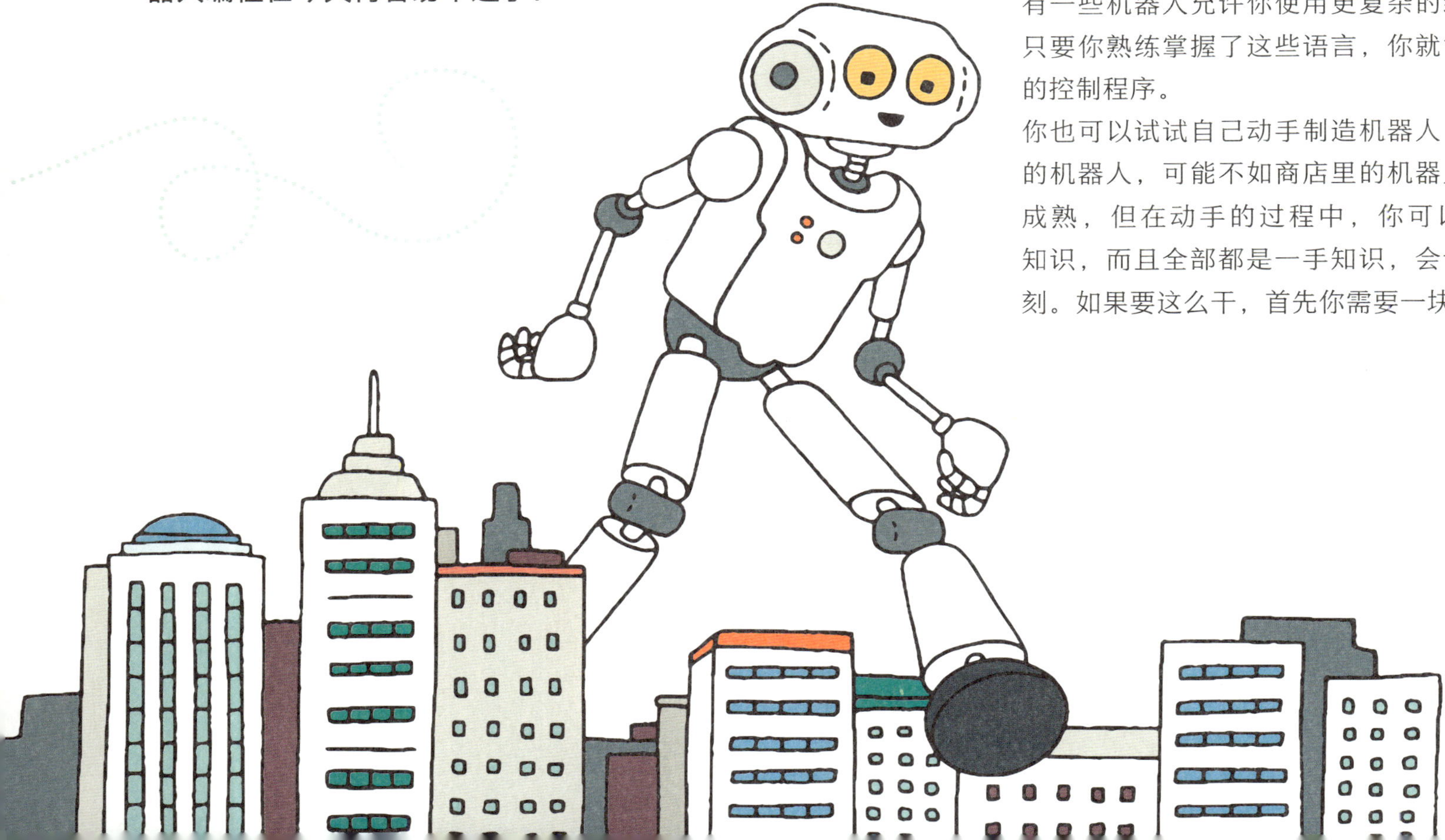

初步了解机器人原理

你可以找一个现成的机器人来入门。去网上或线下的电子产品店或电子玩具店，你会找到很多可编程的机器人套装。这种机器人玩具多半都带有一种简单的编程语言，只需简单的拖放操作就能使用，你可以从这种机器人入手。也有一些机器人允许你使用更复杂的编程语言，只要你熟练掌握了这些语言，你就能写出自己的控制程序。

你也可以试试自己动手制造机器人。初学者做的机器人，可能不如商店里的机器人套装那么成熟，但在动手的过程中，你可以学到许多知识，而且全部都是一手知识，会让你记忆深刻。如果要这么干，首先你需要一块开发板。

开发板其实就是一台小电脑，它可以运行你放上去的程序，让程序和电子元件产生交互，以控制这个机器人。市面上有一些不错的入门级开发板，比如BBC的Micro:bit和Arduino等等。如果你已经是乐高达人，你也可以考虑一下Lego Mindstorms套装。

机器人的I/O

开发板的套装里会有一些I/O（输入/输出）引脚。你可以把设备通过引脚连接到开发板上，以控制这些设备。不妨先试试连接几个LED灯吧，写个程序让它们酷炫地亮起来，或者更进一步，让它们以灯光拼写出信息。只要你搞清楚了原理，你就可以开始尝试连接其他设备了，比如接上一个发动机，让机器人跑来跑去！

你可以用程序控制机器人，还可以连接一些传感器，传信息给机器人。比如光传感器、温度传感器或其他什么传感器都行。传感器加上发动机，你就可以造出一只追逐强光的机器人。然后，你便可以让它在房间里追着你的手电筒跑来跑去了！

电是很危险的。在你动手的时候，一定要确保有大人在场看顾着你并且很清楚你在干什么，以保护你免遭自己的伤害或弄坏机器人。

文件管理

如果你希望你的用户可以中途离开程序，回头继续使用，类似玩电脑游戏时的存档和重新载入，那么你的程序就得有文件归档的功能。文件就是数据在你的电脑存储系统上所存储的位置。那个文件可以是图片、影片、文档或其他任何数据。

文件归档

在不同的编程语言中，访问文件的语法也各不相同，但读取的方式基本上是一样的。首先，你得“打开”（open）文件。这个open语句以文件的路径为参数，如“C:\my_files\file.txt”，即告知程序去打开某一个指定的文件。

小窍门

你可能注意到了，这里并未提到“新建”（create）文件。这是因为，假如你让程序打开某个文件，而这个文件并不存在，那么程序就会直接给你创建出这个文件。

使用open语句，会返回一个文件对象——这就表示程序访问到的这个文件，你可以读取，也可以写入。“读取”即从文件取数据传输到程序，“写入”则从程序传输数据到文件。这些操作的语法跟你在键盘上输入东西写到屏幕上差不多。当你用完文件时，你可以调用“关闭”（close）语句，停止使用这个文件对象。

受限读取

在默认情况下，打开文件就能读取数据和写入数据。但在很多情况下，你可能想只读取数据或只写入数据。这时，最好使用只读（read-only）或只写（write-only）格式来打开文件。使用这种受限的格式，表示你的程序只能对文件做指定的那一个动作。这种处理方式非常方便，比如访问一个只读格式的文件，你就不可能无意写入数据导致文件出现任何混乱。

文件名通常以一个点和几个字母结尾。点和字母决定了文件的格式类型，叫作“文件后缀名”。比如，.txt表示文件里都是文本，而.jpg和.gif是图片格式。你的电脑可能在默认情况下是不显示文件后缀名的，这样的话，不妨上网搜搜如何设置显示文件后缀名。

懂得交流的代码

早期的计算机都是单机设备，现在的计算机则能与其他计算机连通，互相发送和接收数据。数据可以通过以太网电缆传输，或者通过Wi-Fi进行无线传输。

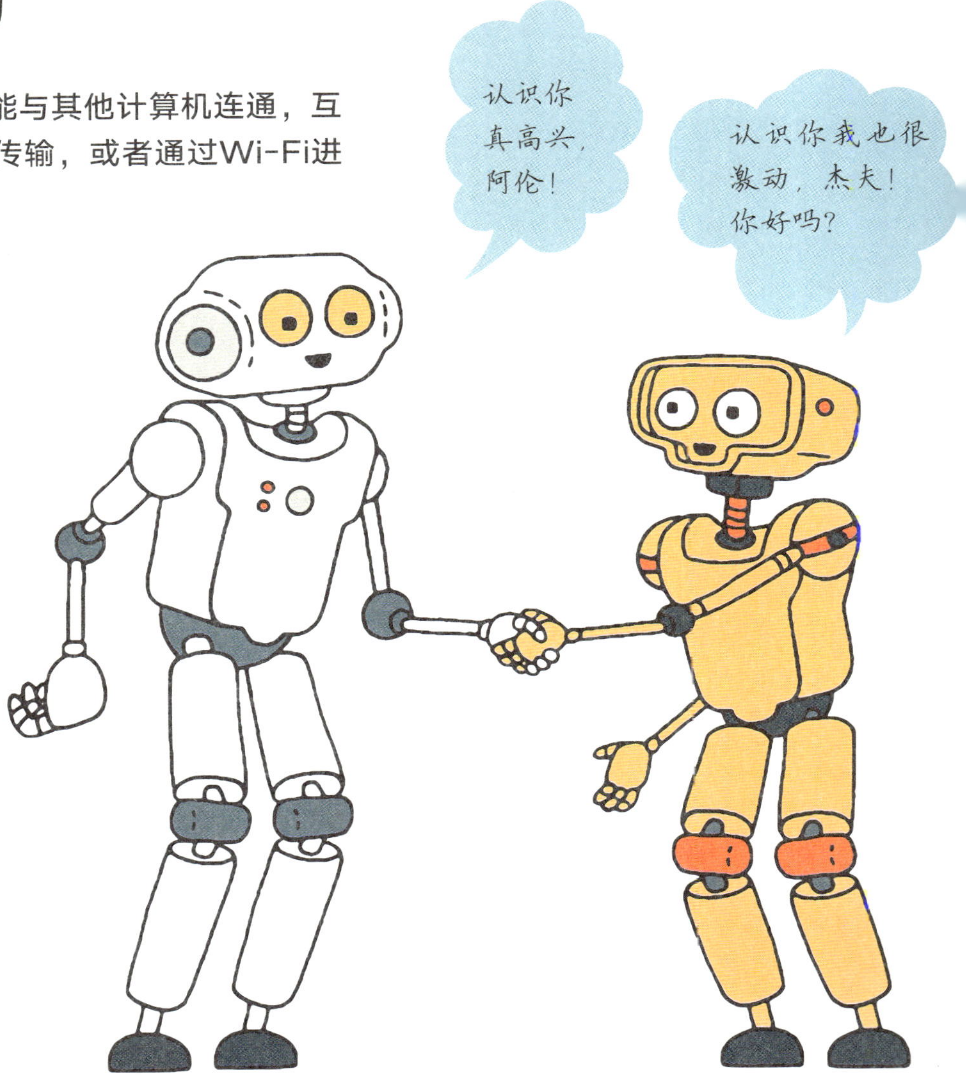

理论上的网络

任何待发送或待接收的数据都是以一个或多个数据包的形式，通过有线或无线的通信线路从最近的交换机进行发送的。交换机是一种实体装备，用以将数据包传送到目的地上，确保数据传送无误。跟数据一样，每个数据包都有一个数据包头，注明数据包的来源、去处，这样交换机就能正常传送数据。

这种传送数据包的方式叫作互联网协议，简称IP。将要传输的数据在传送端拆分成数据包之后又在接收端将其组装起来的形式，叫作传输控制协议，简称TCP。TCP还能对传输中途丢失的数据包进行重传。

实际上的网络

这些理论听起来（何止听起来，实际上也是！）都相当复杂，不过，幸亏你的计算机将这一切给你包办了。在程序里创建一个套接字对象，就可以发送或接收数据了。套接字对象是程序发送或接收数据的载体，就好比文件对象是程序读取和写入数据的载体。

不同的是在网络中，当你连接到另一台电脑时，一端（服务器）需要等待另一端（客户端）发起连接。我们知道，笔记本电脑有多个USB端口可以接入多个USB设备，同理，计算机也有多个网络端口可以连接其他计算机。网络端口并不是实体端口，一台计算机可以有几千个网络端口。

要成功连接，服务器会听命于一个指定端口，而客户端也会使用服务器的这个端口和地址向服务器发起连接。连接一旦建立，两端之间就能互相发送和接收数据了，就像对文件写入或读取数据一样，只不过此时调用的不是write()和read()，而是send()和recv()。

创建一个套接字对象

```
my_socket = socket()
my_socket.connect(“www.example.com”, 5000)
my_socket.send(“测试！测试！”)
received = my_socket.recv()
print(received)
```

发送一个字符串到另一台电脑

连接到www.example.com的5000端口

等待对方发送字符串回来

显示收到的内容

多云

随时都连接着互联网的设备，是计算机界近年来最重要的发展趋势。以前，计算机用户都只在需要下载或搜索东西的时候才连接上网。如今这个现象发生了改变，智能手机的出现和无线技术的进步，使得许多计算机得以始终连接互联网。

小窍门

互联网诞生于20世纪70年代美国若干大学的合作研究项目。当时，他们创建了一个计算机网络——ARPANET（阿帕网络）。为了使ARPANET不受核袭击摧毁，他们将其设计为无中心控制点。这个设计影响深远，如今的互联网也是去中心化的，不受任何人或国家管辖。1989年，英国计算机科学家蒂姆·伯纳斯-李创建了万维网（World Wide Web，简称www）的第一个网页。我们使用万维网，就是使用互联网的一种服务。

“云”是什么

随时在线的设备可以使用这种新技术：云计算。所谓“云计算”，基本上就是说，诸如存储文件和执行运算之类以前计算机在本地处理的任务，现在可以卸载到互联网上的计算机上。这些互联网计算机究竟在世界上哪个角落，一点也不重要，所以它们就被称为“云”。

执行存储和处理任务的互联网计算机，叫作服务器（因为它们为其他计算机服务，而不是自己工作）。它们没有自己的显示器或键盘，通常被堆放在大型数据中心的机架上。这些数据中心可能有成千上万台服务器，需要大量电力来保持服务器的运行和冷却，所以数据中心常常被建在发电站旁边。

双面云计算

云计算有很多优点。其中一个是，由于个人电脑没有必要拥有像服务器那么强大的存储或处理能力，个人电脑可以卖得很便宜。在云端存储数据也意味着，如果你的电脑丢失了或损坏了，你的数据仍是安全的，仍可以下载到备用设备上。而且你可以在任何台式电脑、笔记本电脑或智能手机上轻松访问你的数据。

当然，云计算也有一些缺点。如果你无法连接上网，那你就受困于电脑本地的数据了，这可能会影响你的工作。此外，你可能不愿意将一些私人数据存储到网上，因为虽然云服务器供应商非常重视数据安全，但还是有一些黑客有能力从数据中心窃取信息。

排好队

我们已经了解过数组的概念，那是一种数据存储方式，在内存的同一块地方存储数据，并且每一笔数据都能随时被访问。然而，并不是所有的数据都能以这种方式存储。

将数据链接起来

还有一种存储数据的方式，就是使用链表。链表结构并不像数组，在一块大内存上存储所有的数据，而是将所有的数据分别存储，每一笔数据都包含通往下一个元素的链接，就像环环相扣的铁链。如此一来，元素A含有通往元素B的链接，元素B含有通往元素C的链接。一个单向链表就是单方向的一环接一环，而一个双向链表则有两个方向的环环相扣（元素C能链接回元素B，元素B能链接回元素A）。

要访问链表中的一个元素，你得循环访问这个链表，跟着链接逐环节来回跑。链表的访问效率要比数组低，数组中的任意元素都能通过一次操作找到。但链表的好处是方便增加或移除表里的链接，数组则很难删减或增加数据（因为那是一整块的内存位置）。

队列和堆栈

数组和链表用于实现队列和堆栈这两种计算机运行程序所依赖的数据结构。这两种数据存储方式，都无法做到一次操作即访问任意元素，而是根据数据存入的顺序一次读取一个元素。

队列采用FIFO（即先进先出）次序。比如说，假如你给队列添加元素A，再添加元素B，那么当你从队列读取数据时，你会先取到元素A，再取到元素B。相反，堆栈采用的是LIFO（即后进先出）次序。比如，如果你先给堆栈添加元素A，再添加元素B，那么读取的时候就会先取到元素B，再取到元素A。堆栈的读取次序就像一堆纸，后放上去的纸会先被拿到。

小窍门

在堆栈的顶部添加一个元素，叫作push操作（字面意思是“推”）；移走一个元素，叫作pop操作（字面意思是“突然蹦开”）。

电脑游戏

从世界上第一台计算机诞生开始，编程者们就开始鼓捣着怎么用它们来玩游戏！诞生于1972年的“Pong”是一款黑白的乒乓球游戏，两个白色的长方形表示球拍，一个正方形表示球。这款游戏诞生之初是在游乐场的投币游戏机上投入使用的，到了1974年，它进入家庭成为电视游戏。

现在那些被称为AAA游戏或3A游戏的最大型的视频游戏，通常需要上百号人的编程人员、设计师和测试人员团队花上几年的工夫来开发，成本还可能会超过1亿美元。这些游戏拥有顶尖的3D图形设计元素，通常会促进计算机的性能开发，将它推向极限。

独立小游戏

大型游戏可不是世界上唯一的游戏。近年来编程工具的发展，引发了一波独立小游戏的爆发。有很多独立开发者或小型开发者团队，在业余时间就会干这个。这种游戏的开发难度比较低，编程者可以随时测试游戏体验，并创造出有趣的新游戏类型。Minecraft（我的世界）可能是世界上最大型的电脑游戏了，但它最初就是一位程序员的业余爱好项目！

智能手机和平板电脑为独立开发者提供了另一条路子，这两种设备本身就非常适合一个人或一个小团队能开发的小巧而简单的游戏。它们都设有应用商店，这使得开发者可以很方便地发布游戏，也使得人们更可能因业余时间开发游戏而挣到钱。

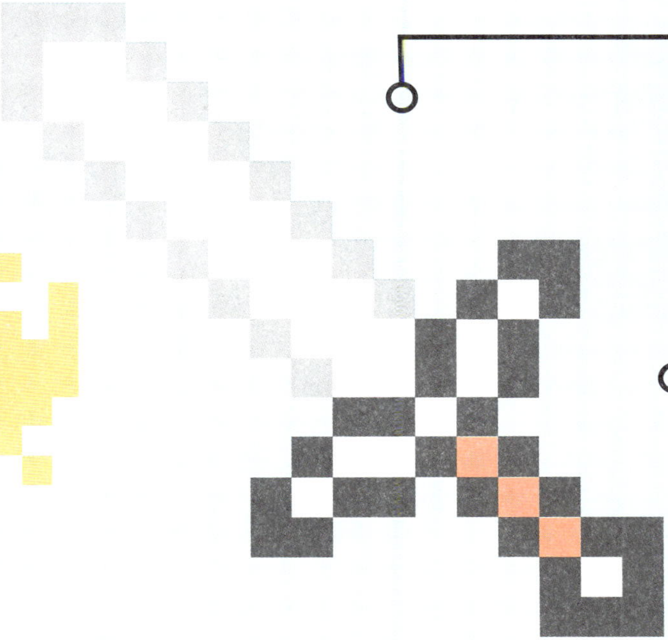

游戏工程

那些使独立游戏得以成型的工具，叫作游戏引擎。游戏引擎是一种自带函数的系统，这些函数可以处理2D图形和3D图形、网络、声音、文件输入/输出和所有创建游戏需要用到的东西。游戏引擎还带有3D模型、音乐等资源，你可以在制作游戏程序时使用。你也可以在网上下载其他的资源，网上的资源有免费的，也有需要付费的。

要制作一个游戏，你需要写代码告诉游戏引擎，遇到什么情况应该做什么事。每个引擎都有不同的命令集，支持的也是不同的编程语言。有些编程语言简单易用，有些则相对比较复杂，功能也更加强大。有些语言适用于开发PC游戏，有些适用于开发网页游戏，有些则适用于开发手机游戏。

编写网页

要学习机器计算，创建网站是一种很棒的开始方式。试问谁不想拥有自己的网站？网上可以找到大量的帮助，而且你还不需要在PC上安装任何额外的软件，Web浏览器和文本编辑器就够用了。

网页是用一种叫HTML的语法编写的。网页的代码包括页面上的文字、你想使用的图片的地址、链接和其他内容。你可以在HTML文件中直接编写网页内容的格式（如颜色、尺寸、对齐以及任何描述网页内容外观的属性），或者另外使用一个CSS（Cascading Style Sheet，层叠样式表）样式文件。

让网页动起来

如果你希望你的网页看起来活力四射，你可以将你的程序代码直接嵌入到页面上！浏览器一般都支持JavaScript语言。你可以把JavaScript直接写到HTML文件里，或者另外创建一个.js文件。这样一来，每当有人载入你的网页，你的代码就会在他们的浏览器里开始运行。

你的代码会被回调函数触发。浏览器支持很多种回调函数，你可以这样设定你的代码运行的条件：

- 当页面载入时
- 当按下某个按钮
- 当键入某文本框

当然，还有许多其他的方式，在此就不赘述了。

https://awesome.com

然后，你就可以通过修改代码来调整网页显示的内容了。什么都可以修改，小到文本的字体大小，大到完全重构整个网页！在JavaScript代码中，网页的内容由DOM（Document Object Model，文档对象模型）表示——DOM就好比一个套接字或文件对象，是代码中一种代表网页的元素。你对DOM所做的任何操作，都将呈现在页面上。

出于安全性的原因，有些事情不能在浏览器里做。不过，HTML是一门强大而灵活的语言，而且最新版的HTML5还增加了更多能力，比如“canvas”（画布）元素。你可以使用canvas元素，将动态图片或动画直接添加到网页上。

从今往后，你再上网遇到一些看起来很酷的页面，你就该知道这是作者写的JavaScript代码在起作用。先想想他们是怎么写的，也可以试试看自己能不能办得到。

让一切变智能

始终保持联网的设备不只PC和智能手机。无线技术发展至今已经既微小又廉价，能够与控制它的传感器和微型芯片一起嵌入到任何设备中。也就是说，你可以通过联网让恒温器、喇叭甚至灯泡向你汇报它们的状态、接收你的命令，让它们变得智能。

我们如今所处的时代，距离所有家居产品都连上无线网络、共享数据以及支持智能手机或PC控制可能为期不远了。到时候，你可以让音乐跟着你从一个房间播到另一个房间，可以比以前任何时候都更方便地控制你的个人电子产品。不妨从这个角度观察这个智能设备互相连接的世界，这个世界叫作物联网。

控制智能设备

作为一名编程者，你还可以更大限度地利用起物联网。许多智能的设备除了用智能手机应用控制之外，还支持通过API来控制。也就是说，你可以自己写代码来控制这些设备。什么是API呢？API是应用程序接口（application programming interface）的缩写，它指的是智能设备听从的一串网络命令，以及附带的一些说明API功能点和使用方法的说明文档。

再智能一点

如果你正在制作自己的电子设备，比如机器人，那干脆就像控制其他设备那样，让它支持无线控制吧！这样一来，你就不需要每修改一次代码，就上传一次新代码——你可以在PC上编写控制代码，通过网络控制你的机器人。有些开发板内置了联网功能，如树莓派，也有一些开发板使用外接组件来联网，如Arduino。此外，网上也有很多针对各种开发板的软件，可以帮你轻松将机器人连上无线网络。

小窍门

你可以自己写网络代码和API代码，但是你通常可以在网上找到一大堆适用于你所用编程语言的软件，这些软件就可以满足你的需求。所以，你只需要考虑你希望你的设备实现什么功能就行。你应该尽可能使用这种第三方资源库，而不是什么东西都自己动手写。这样能为你省下大量时间，而且网上有许多人也在使用这些代码，他们提交的问题能够帮助这些资源库提高质量。

版本控制，跟踪代码

程序代码本质上就是文本，但我们也见识过了，智能编辑器和IDE可以让写代码又快又轻松。同样，你可以将写好的程序保存到磁盘上，而版本控制可以帮你轻松保存代码、加载不同版本的代码。

版本控制可以跟踪你对一个文件所做的每一次修改。要使用版本控制，你得先创建一个储存库，用以存放一个或多个程序。接着，就按平常那样编写程序。跟平常不同的是需要周期性地提交代码，即每当你对代码的状态感到满意，就将代码提交到储存库。

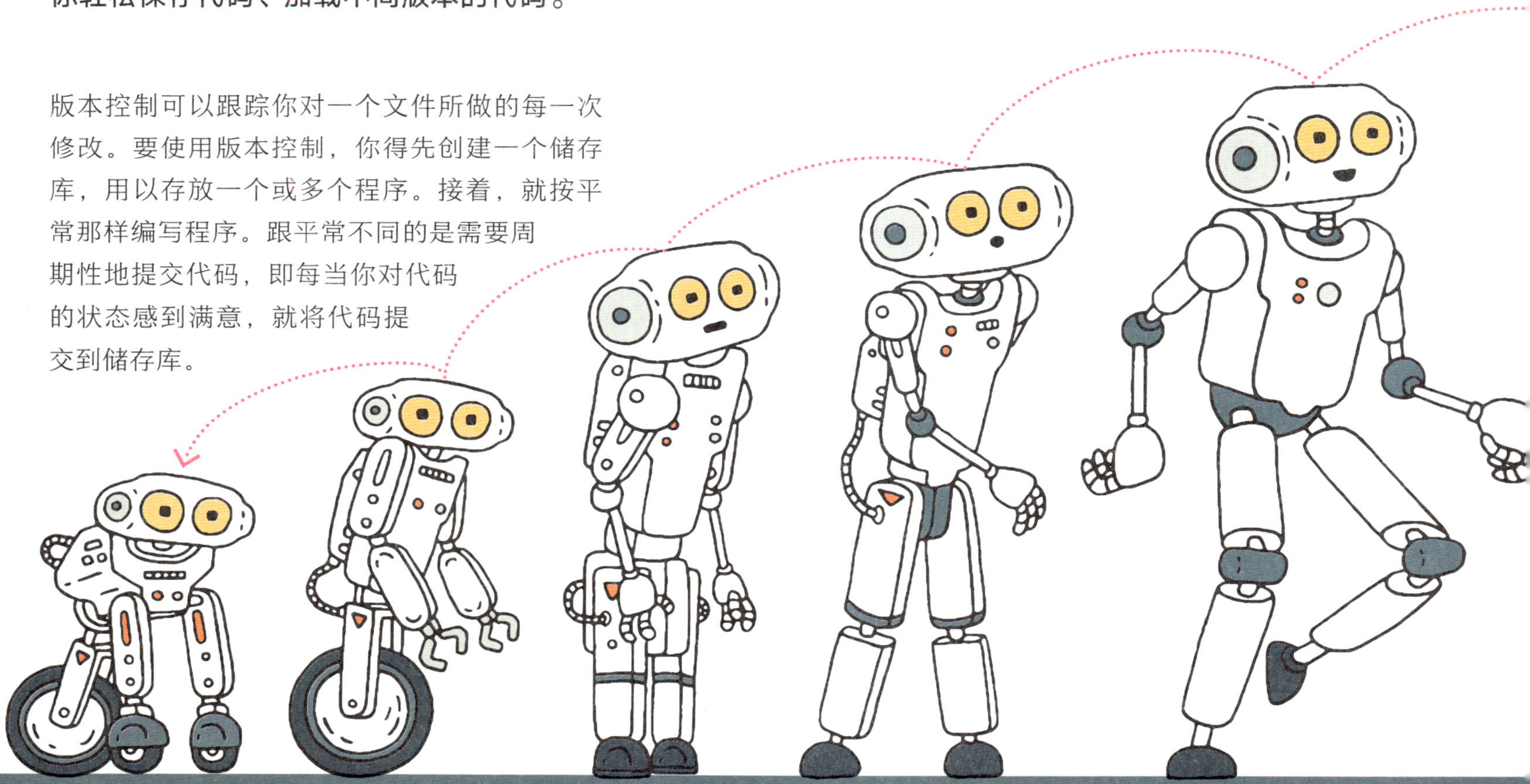

回到过去

版本控制系统里会有你对代码的一系列修改记录。如果你发现自己犯了一些错误，而且这些错误破坏了代码，你已经不知道该如何修复代码了，那么你可以将代码恢复到一个稍早期的版本。你还可以通过版本控制系统的“差异”模式——相邻两次提交的代码对比，来准确了解你的修改轨迹。

你的版本控制系统可以仅限于你的电脑本地，网上也有一些免费的在线版本控制系统，如GitHub。这些在线系统有两大优势。由于它们提供了云服务，你可以使用多台机器写代码，某台机器坏了也没关系，你可以从云端恢复代码。此外，由于储存库是默认公开（对所有人可见）的，所以要分享代码给其他人非常方便。

与他人合作

版本控制的真正价值，其实就在于分享代码，因为这是多人合作编程的最佳方式。它可以跟踪每个人对代码所做的修改，并且解决代码间的冲突。现在的版本控制系统是分布式的，也就意味着每个参与者都有一个本地的储存库副本。他们会从主储存库将最新的改动拉取到本地，并将本地所提交的修改推送上去。

开源项目就是使用版本控制系统来实现多人合作的。参与者并非直接将代码提交到储存库，而是用拉取请求将本地的修改提到一个新的分支上。熟悉这个项目的人会检查这个请求，然后要么让它加入主程序，要么返回修改意见。这也就意味着，如果你参与大型开源项目，那么就会有人检查你的代码，帮你提高代码的质量。

老派的编程语言

我们先前看过诸如Python和JavaScript之类的脚本语言，其实，常用的编程语言并非仅有这一类。现在，我们来看一些PC日常运行的程序使用的较为低级的编程语言。

C和C++

C语言和C++语言是其中最重要的。C语言起源于20世纪70年代，可以说是一种年高德劭的编程语言了。C++是C语言的升级版本，它有类，也有大量其他的改进点。C++这种语言有大量强大的使用技巧，比如使用指针直接访问计算机的内存，学起来要比起大多数脚本语言更加吃力，写起来也更慢。

C++和同类的其他语言都不能直接运行，必须先编译才能运行。程序员必须用编译软件将程序转化为机器代码，计算机才能运行这个程序，这个转化过程就是“编译”。最终发布给用户的，就是这个编译后的可执行文件。这就意味着，由于机器代码的差异，不同的操作系统需要不同的编译软件和不同的可执行文件。

话说回来，在程序编译这一步（而非编译后运行程序的时候），很多问题就会浮出水面。代码经过编译之后，运行的速度也会变得更快，因为它已经被翻译成了计算机能够直接运行的格式。由于C和C++运行速度飞快，也因其历史悠久，大量软件都是用这两种语言写的，其中就包括大多数的计算机操作系统。

Java

除了C和C++以外，还有一些语言也有很多现成的软件资源。Java就是其中一个。Java要比C和C++年轻一些，它诞生于20世纪90年代。Java从C++衍生而来，但是用起来比C++更简单，在可移植性上也比C++更胜一筹。Java跟C++不同，它会自动进行内存管理，要添加功能库就简单多了。

最重要的是，Java并不直接编译成机器代码，而是转换为字节代码。只要有解释器，字节代码可以在任何操作系统中运行。就Java本身来说，它介于编译型语言和脚本语言之间，并且它不需要为不同的操作系统进行再编译——Java程序可以在任何系统上运行。Java常用于编写管理网站和服务器的软件。Java和C++都不适合编程新手，如果你对开源开发感兴趣，你能找到很多用这两种语言写的开源软件。

并行运行

目前你在本书看到的代码示例的运行方式都是单线的，计算机每次执行一条指令。但有的时候，你会需要程序里某些地方在同一时间分别进行运算，这时就要用到“并行”这个概念了。

伸出分支

所谓并行，即程序的多处代码在同一时间分别运行。就如树枝往外伸长时生出许多小枝，你的程序也可以分岔成多个分支。一个分支可被称为一个“线程”或“进程”。其实，每个线程可被视作一个单独的程序，一次执行一个指令。

那么，为什么程序要并行运行呢？并行运行可以让某一部分程序长时间单独运行，而不会抢占其他代码运行所需的资源。比如，程序的GUI（详见第48页）通常会在程序其他部分之外单独运行。这样一来，就算程序的主体花了很多时间作运算，用户也会因GUI单独运行而仍可自由滚动页面、点击按钮。

虽说是单独运行，但你的代码分支也需要与其他分支进行通讯：比如，当用户在GUI上点击一个按钮，你得让程序主体知道该干什么。不同的编程语言有不同的实现方法，但通常都会使用队列在分支间传递讯息——一个分支写好一条讯息，另一个分支在空闲时读取讯息。

加锁与解锁

并行代码（有时也叫多线程代码）写起来挺复杂的。比如说，不同的代码分支可以共用同一个变量，但多个分支同时使用这个变量可能就会导致大问题。为了避免这种情况，我们可以给代码加锁，比如互斥锁和信号量，用于确保一个变量在同一时间只有一个分支能访问。如果另一个分支也想使用这个变量，它必须等第一个分支完成使用并解锁之后才能进行访问。

小窍门

计算机其实可以同时做多件事——现在的计算机CPU有双核、四核甚至更多核，一个核就可以跑一个线程或进程。但是，我们不需要为这个数字所限——CPU在线程之间的切换极其飞快，所以看起来就跟所有线程都在同时运行几无二致！

超级计算机

在计算机诞生之初，它们体型庞大，一台计算机能摆满一个房间。现在的计算机已经小到能放在书桌下，或者放在手掌上。不过，还是有一些计算机体型大到能占据一幢楼，那就是超级计算机。

小窍门

长期以来，超级计算机除了用来预测天气，还被用于协助设计和模拟有史以来最具毁灭性的武器：原子弹。这听起来可能并不那么吸引人，但它促成了无数的禁止核试验协定。许多拥有原子武器的国家都协议不再在现实世界做核试验，而改为使用超级计算机进行模拟试验。

像超人一样厉害

超级计算机这种机器极其强大，一般用来解决那些超级复杂的问题。超级计算机最常用于模拟复杂的实际系统，比如研究天气模式（为了预测下雨天之类的天气），或者蛋白质分子的折叠原理（为了找到新的疗法）。

由于单个CPU芯片的大小是有限制的（详见第46页），超级计算机其实配有几千个连在一起的独立CPU。超级计算机上运行的程序都是高度并行的，将运算拆分为几千个任务，分配给不同的CPU处理。

租用超级计算机

一台超级计算机的售价就要几百万英镑，这个价格基本人人都买不起。有了云计算，用户就可以按分钟数租用级计算时间了。如果一位科学工作者需要使用超级计算来解决什么特殊问题，那他可以根据需要租用某台超级算机比如一个小时的计算能力来运行程序，获得这台机的临时访问权限，这只需要花上几百英镑。

小窍门

超级计算机的运行速度以flops计。Flops是floating-point operations per second（每秒浮点运算次数）的缩写，基本上就是指超级计算机每秒能执行的计算量。在笔者写这本书的时候，当代世界上最强大的超级计算机拥有4000多块独立256核CPU，运行速度达到了100 PFlops（1PFlops指计算机每秒能完成将近一千万亿次浮点运算）。不过在读者读到这本书的时候，可能已经出现运行得更快的超级计算机了……

轻轻松松学算法

计算机的运行速度飞快——一台价值5英镑的计算机，时钟速度可以达到1GHz。这个速度，相当于每秒能处理十亿件事情。所以大多数时候你都不用担心你的程序跑得多快。但是有时候，你可能会发现你的程序要花很长时间才能完成一个任务。这种时候，你该担心的是你使用的算法。

想要给代码里所有的内容都使用上最快的算法，这个想法非常诱人，但这并非总是最佳方案。你可能会花费大量时间和精力，只为让程序运行快上一毫秒，而这样做可能会让你的代码变得难以理解和修改。在不必要的代码上花太多时间改善运行速度，这种行为叫作“过早优化”。除非程序的运行速度导致了什么问题，否则你不需要为此担心。

所谓算法，就是你的代码执行特定任务的方法，比如按字母表顺序显示列表等等。写代码的时候，通常会有很多写法可以完成一个任务，而每一种的复杂度都不一样——所以每当数据量增加，程序运行要花费的时间也会随之变化。

你的代码有多复杂

有些算法的时间复杂度O(n)是线性的，也就是说，如果你的数据集(n)翻倍了，那么运行时间也会翻倍。也有一种算法的时间复杂度是$O(n^2)$，这时，当你的数据量翻倍了，程序的运行时间会是原来的四倍。如果n值比较小，时间上的差异无关紧要。但如果你处理的是百万级别的数据量，第二种算法可能就会导致程序为执行同一个任务比第一种算法要多花上几万倍的时间！

还有拥有其他时间复杂度的算法——括号内的n值越小，大数据量下算法就会运行得越快。

要了解你使用的算法复杂度，试试检查代码，并测试当数据为n时，程序运行需要多少时间。如果代码里有嵌套循环（循环内的循环），那就意味着你的算法时间复杂度很高。如果你需要处理大量的数据，那你就要想办法重写代码来避免这个问题了。

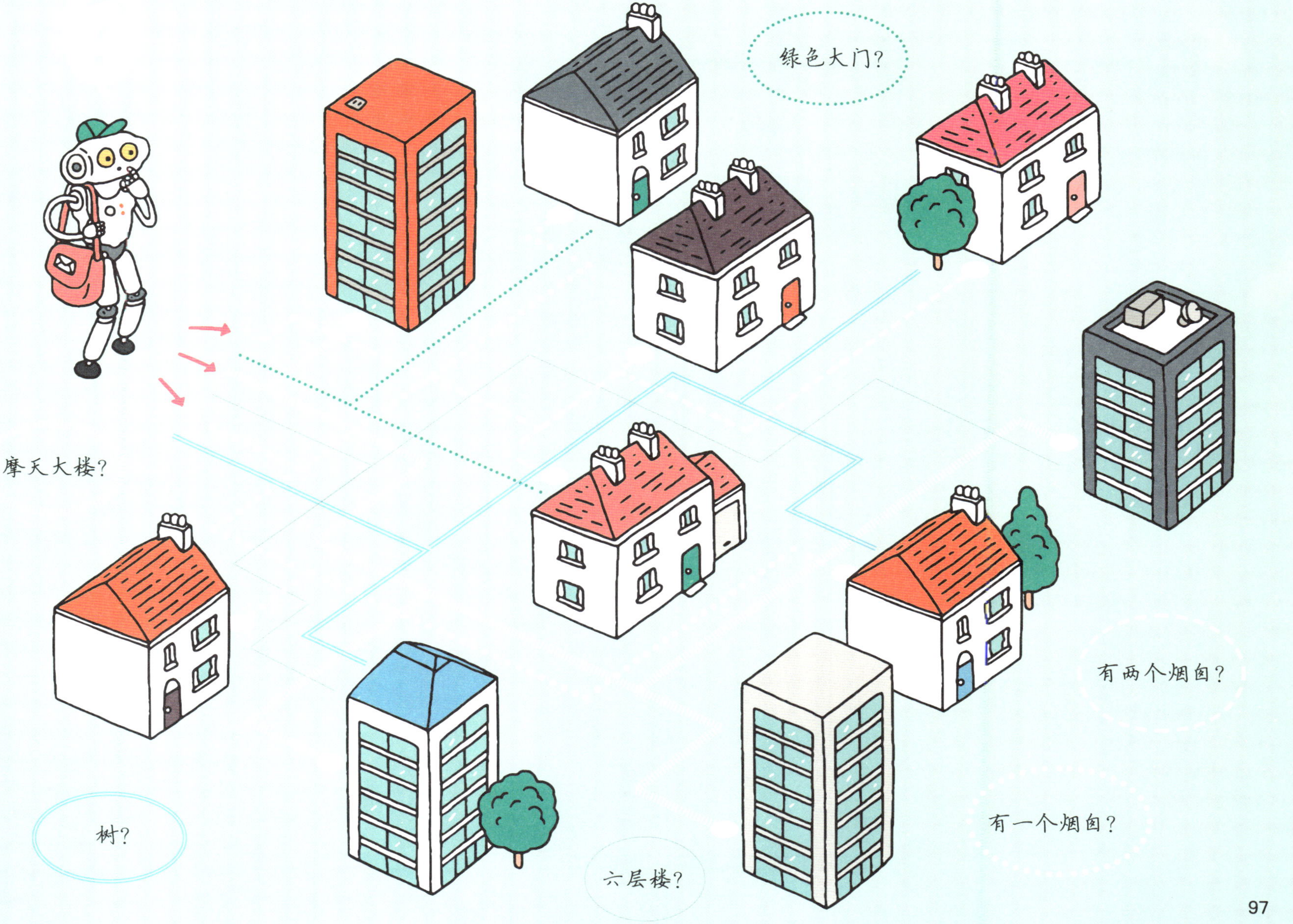
绿色大门？
摩天大楼？
有两个烟囱？
有一个烟囱？
树？
六层楼？

快一点，再快一点

你可能注意到了，新推出的电脑一年比一年快——花同样的价钱，可以买到比以前更快速的CPU、更大的内存和硬盘。

其实，这种情况已经存在很多年了。1965年，英特尔公司（至今仍是世界上最大的CPU制造商之一）的创始人之一戈登·摩尔发现，在硅芯片尺寸不变的情况下，每一年能放置到硅芯片上的晶体管的数量都会翻倍——也就是说，同样尺寸的CPU性能每年提升一倍。

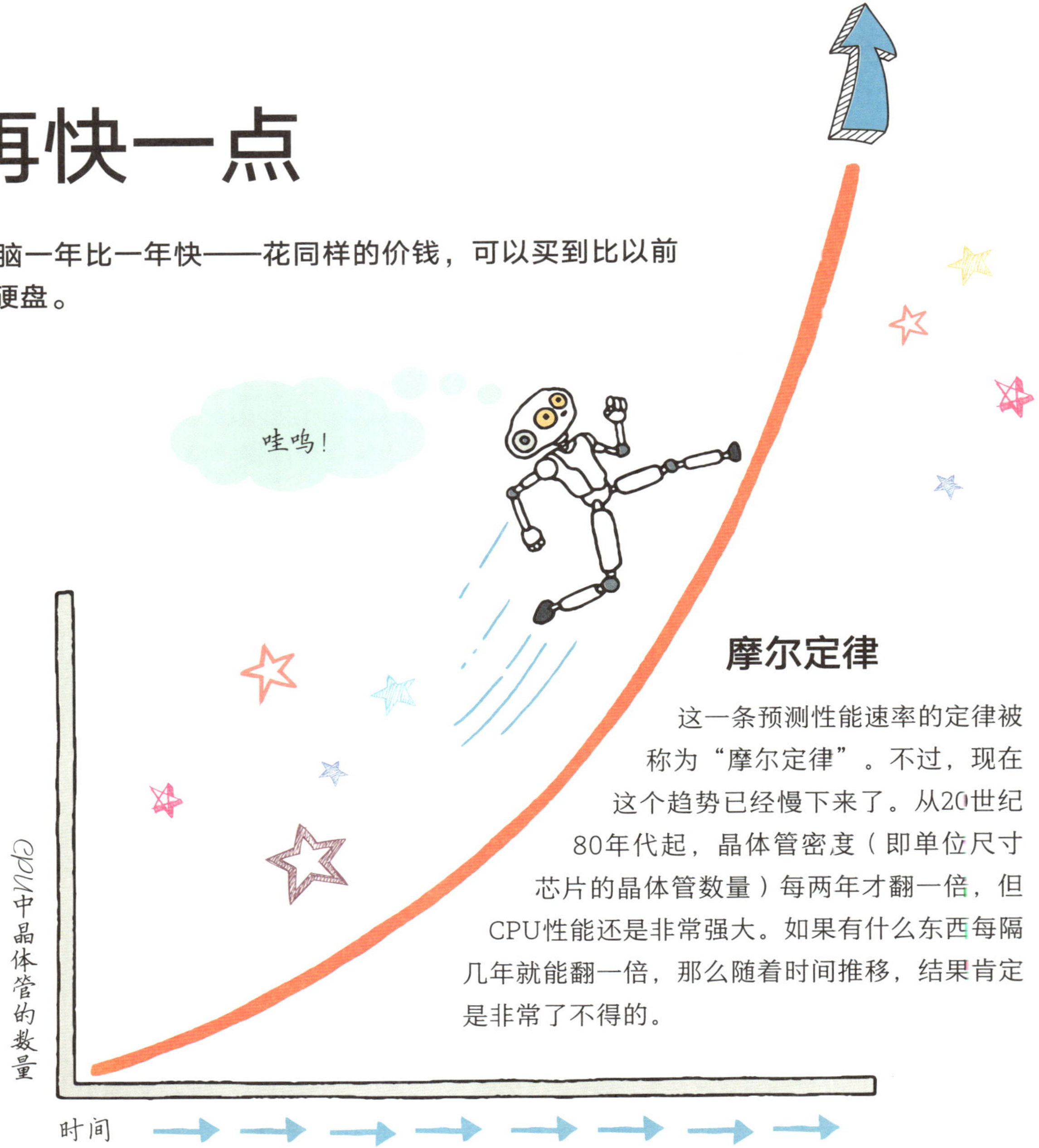

摩尔定律

这一条预测性能速率的定律被称为“摩尔定律”。不过，现在这个趋势已经慢下来了。从20世纪80年代起，晶体管密度（即单位尺寸芯片的晶体管数量）每两年才翻一倍，但CPU性能还是非常强大。如果有什么东西每隔几年就能翻一倍，那么随着时间推移，结果肯定是非常了不得的。

小窍门

控制阿波罗11号并且将人类送到月球的那台计算机在1969年那个年代，可以说是惊人的先进，而且造价高达几百万美元。阿波罗导航计算机（AGC）将阿波罗11号从地球带往38000千米外的月球，并顺利返航。尽管如此，今天的计算机能够轻而易举地令AGC黯然失色。你的烤面包机跟AGC相比，堪称数量级的强大。AGC的运行速度是0.05MHz，内存大小是64kB。现在，随便一台便宜的智能手机就能比它快上20000倍，内存比它大5000倍！

超大的数字和超小的数字

这一切要归因于制造商将晶体管做得越来越小。巨人计算机和ENIAC计算机里的真空管宽达好几厘米。相比之下，现代CPU的硅晶体管宽度才14纳米（0.000000014米）。20世纪70年代刚面世的早期CPU芯片上有几千个晶体管，而现代CPU则有十亿个以上的晶体管。

现代的晶体管极其微小，许多科学家认为摩尔定律已经式微。14纳米的晶体管比100个原子加起来还窄，如果非要做得更小，奇妙的量子效应就会对它产生干扰。不过，科学家们正在试验新的材料、3D晶体管以及他们所能想到的任何东西，试图令摩尔定律如常有效。他们能让摩尔定律坚持多久，谁又知道呢？

编写手机和平板电脑程序

第一代iPhone的发布创造了一种新的编程类型：APP开发。智能手机和平板电脑APP的开发和发布都有许多技术支持，非常适合编程入门学习。你可以做出好玩的应用程序和游戏，分享给你的朋友。

给自己全副武装

要开发手机或平板电脑App，你需要SDK（Software Development Kit，软件开发包）。Android（安卓）系统平台和iOS平台都有自己的SDK，其他手机平台（如Windows）也一样。使用Android平台的SDK编写的App，能够在任何Android设备上运行，但不能在iPhone上运行，反过来也一样。

SDK可以免费下载，里面包含开发一个App需要的所有东西。除了设备支持的编程语言要用到的IDE（详见第35页）外，SDK里还有用于访问设备相机或喇叭的API（详见第87页）、GUI框架（详见第48页），甚至还有一个模拟器，你可以用它模拟手机或平板电脑试运行你的App。

一旦你对你的App感到满意，你就可以将它放到真实设备来运行了！SDK包有多种方法能让你将程序上传到个人手机上，你可以看到它真实运行的效果，分享给你的家人朋友。终极一步，就是将它上传到应用商店，你甚至可以靠它挣点钱。不过，要将App上架到应用商店，你就得有能力过关斩将！

语言的选择

不同平台的SDK有自己的API和编程语言。Android的SDK使用Java，iOS则使用Swift或Object-C。学习使用SDK，新语言和一堆API可能会让人望而却步。不过SDK都会有新手引导，它会带你大致了解所有的内容。

你可以选择使用SDK开发App（由于使用了设备平台的本地语言和API，因此又叫“本地化应用”），你还可以选择开发网页应用。开发网页应用，意味着使用JavaScript、CSS和HTML5来开发APP。简而言之，开发网页应用其实就是编写能够在智能手机和平板电脑上运行的网页。事实上，也有一些SDK允许你使用写网页的技巧去开发APP，而非死守设备平台的本地语言。

关于编程，了解更多

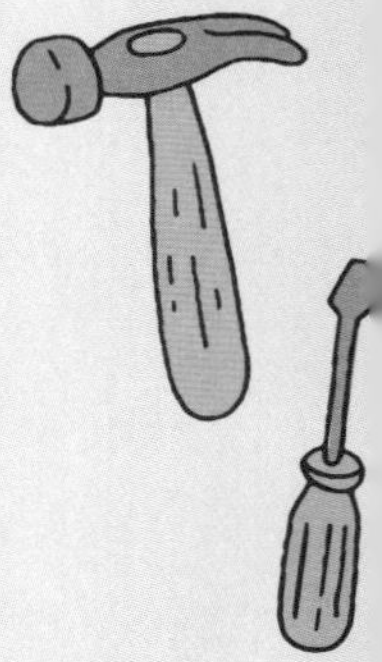

希望这本书能对你有所启发并激励你动手开始编程。下面是一些关于编程入门学习的网站介绍。你的老师、朋友和家人可能也可以在这方面给予你一些指导。

编程入门

- **Scratch** 我们在第38页和第68页已经体验过www.scratch.mit.edu了。点击顶部栏的“Explore”，就可以看到其他人用Scratch创建的所有好玩的程序了——你能像他们那样用Scratch写程序吗？
- **编程新手指引** 网上有成百上千个站点可以带你入门探索各种各样的编程语言，www.codecademy.com就是其中最好的站点之一。你还可以试试www.freecodecamp.com，这也是一个很棒的新手指引网站，它的重点在于开源开发项目。
- **搜索** 这可能听起来有点怪，在学习编程的时候，www.google.com和其他搜索引擎都是你的好帮手。如果你遇到了难懂的错误信息，把它贴到搜索引擎上搜索，你就能搜到一大堆解释这个错误信息的网页。

编程工具

- **智能编辑器** 如果你使用的是Windows系统，可以试试www.notepad-plus-plus.org这个既好看又简单的智能文本编辑器。如果你是Mac用户，不妨试试www.macromates.com。
- **Fiddle** 如果你想编程，又不想在电脑上安装编程软件，那就试试www.pythonfiddle.com，它可以在浏览器里运行小型的Python程序。www.jsfiddle.net则可以测试JavaScript程序，让你轻松地将程序和HTML与CSS结合起来运行。
- **hiOS和Android上的SDK** 如果你打算开发手机App，你可以在https://developer.apple.com/ios下载SDK来开发iPhone和iPad的App；在https://developer.android.com/studio下载SDK来开发Android App。
- **网页App** 如果你打算使用JavaScript来写手机App，不妨在www.ionicframework.com上下载一个允许你使用网页代码写App的SDK。
- **版本控制** 外头有很多版本控制系统，其中www.github.com是目前最受欢迎的——它不仅帮你存储个人代码，它还是目前世界上存放了最多开源项目的系统。

开发游戏程序

- **网页游戏** 如果你打算编写游戏程序，不妨看看www.scirra.com/construct2，你可以用HTML5和游戏引擎内置的简单编程语言来写游戏。如果你想要更多的控制权，那就试试www.phaser.io，你可以在这里使用JavaScript直接控制你的网页游戏。
- **Unity** 如果你要写3D游戏程序，直接去www.unity3d.com吧。这里有一个强大的游戏引擎，开发过许多商业游戏。这个站点可能对你来讲有点难啃，但你可以用它制作出能在任何平台上运行的2D游戏和3D游戏！

实体工具

- **BBC micro:bit开发板** 给实体设备编程，最简单的入门方式就是使用BBC micro:bit开发板。你们学校的计算机课可能会提供这种开发板，你可以登录www.microbit.org用不同的语言来给它简单地编程。这个站点上还有一个可用来测试程序的模拟器呢！
- **其他开发板** 说到开发板，稍微复杂一点的就是Arduino（www.arduino.cc）。Arduino开发板主要用C语言编程，但网上可以找到很多帮助文档。它还支持各种外接插件以扩展本身的功能。如果你还想要更强大的功能，那就试试树莓派（www.raspberrypi.org）吧。它就像一个小型的PC，你可以用它做几乎任何事情！
- **Lego Mindstorms** 如果你是乐高粉，那你可以试试Lego Mindstorms套装（www.lego.com/en-gb/mindstorms）。你可以用这个套装，使用一种简单的拖放式编程语言，将你的乐高模型变成可编程的机器人。

词汇表

参数（Argument）： 程序中传给函数的值，会影响函数的运算。

数组（Array）： 用于存储多个独立变量值的集合，每个值都能通过方括号访问，如：arr[5]。

二进制（Binary）： 一种仅使用0和1 的计数方法。

比特/位（bit）： 单个1或0就是1比特，是数据在计算机内存的存储单位。

布尔值（Boolean）： 逻辑中布尔型变量的值，有真假两种。

Bug： 代码中导致程序不能运行或错误运行的错误。

字节（Byte）： 允许被一起访问的一组8比特/位空间，称为一个字节。一个字节可存储一个字符。

回调函数（Callback）： 将函数的名称作为参数传送，让其他代码可以调用它，这个函数就叫回调函数。通常在GUI中使用。

类（Class）： 用以存储与某个特定任务或事务相关的所有变量和函数的对象。

注释（Comment）： 写在程序代码里的文本，用来为自己或其他编程者注明这块代码的功能用途。

比较运算符（Comparison operator）： 诸如等于、小于、大于之类的一组运算符，用于比较两个值并基于逻辑做判断。

中央处理器（CPU）： 所有计算机中都有的微型芯片，执行计算机中所有程序的每一条指令。

数据中心（Data centre）： 架设有许多服务器，提供网络数据的地方。

else语句： 是if语句的布尔值不为真时的执行语句。可以和if组成新的条件，即else if语句。

文件（File）： 是图片、视频或文本之类的信息，存储在电脑上。

浮点（Floating point）： 带有小数点的数字，如1.381、－21.9或8.0等等。

for循环（For loop）： 一种循环类型，按指定次数执行循环。

函数（Function）： 是一块独立的代码块，可从程序其他地方进行调用。

图形用户界面（GUI）： 是一种允许用户通过图片、按钮等元素（而非键入文本）来使用程序的方法。

if语句： 程序的一部分代码，当某个指定条件为真时才会运行。

指令（Instruction）： 一段告诉计算机该干什么的代码。

整数（Integer）： 不含小数点的整数，可以是正数、负数或0。

JavaScript： 一种编程语言，可以在用户读取网页时在网页代码中运行。

链表（Linked list）： 跟数组不同的另一种存储多个独立变量值的方式，表里每个元素都含有下一个元素的链接。

逻辑（Logic）： 程序做判断的依据，即程序依据变量的布尔值为真或假来做判断。

循环（Loop）： 程序的一部分代码，会不断反复运行，直到满足某个指定条件。

机器代码（Machine code）： CPU可以读懂并执行的指令集。用编程语言编写的程序在运行之前，都要先转换成机器代码。

存储器/内存（Memory）：存放程序运行时需要用到的变量和其他数据的地方。与存储系统不同，内存具依电性，当计算机处于关机状态时，内存里的东西就会消失。

网络（Networking）：是计算机之间通过有线或无线技术使用电磁波互相交流的能力。

开源软件（Open source）：人们在互联网上共享的程序，你可以下载、使用甚至修改它。

程序（Program）：电脑按顺序从上到下逐条执行的一系列指令。

编程语言（Programming Language）：代码告诉电脑该干什么的方式。不同的编程语言使用不同的方式来写代码。

Python：一种功能强大但易学易用的编程语言，拥有自己的语法和运行方式。

队列（Queue）：一种存储数据的方式。队列的读取顺序是先进先出，即最先访问到最早添加的元素。

代码重构（Refactoring）：重写代码，不为改变程序功能，而为了使其更整洁或更快速。

返回值（Return）：当函数运行结束时，返回给调用代码的值。

Scratch：一种可视的编程语言，允许拖放代码元素来写程序，不必像传统那样编写代码。

服务器（Server）：一台不包含显示器或其他控制设备的计算机，通过网络为其他计算机提供数据。

堆栈（Stack）：一种存储数据的方式。堆栈的读取顺序是后进先出，即最先访问到最后添加的元素。

静态类型语言（Static Typing）：是一类编程语言，规定一个变量只能包含指定类型值，如布尔值或整数。在静态类型语言的程序中，bug会比较容易被发现。

存储系统（Storage）：存放文件和数据的地方。访问存储系统的速度要比访问内存慢，但存储系统的数据不会因计算机关机而丢失。

字符串（String）：用半角引号包起来的一个词或短语，如"Hello, world"。

晶体管（Transistor）：一种超级细小的开关。一个CPU芯片含有几十亿个晶体管，通过开启或关闭这些晶体管来执行计算机的所有操作。

类型（Type）：变量存储的数据的种类，如字符串、整数或布尔型变量。

变量（Variable）：一个指定的存储数据的地方，如存储数字或文字，可供程序后续使用。

While循环（While loop）：一种循环类型，当某个指定条件为真时停止循环。

大多数优秀的程序员编程并不是为了钱或名望，而仅因为编程很好玩。
——林纳斯·托瓦兹

作者 | [英]罗博 • 汉森 Rob Hansen

计算机程序员、英国全能编码大赛冠军
诚恳真诚地帮助所有年轻人了解编程
他“写”过各种各样的东西，从软件专利到角色扮演游戏
不过《嘭！编程超有趣》是他的第一部非虚构作品

绘者 | [英]达米恩 • 维西尔 Damien Weighill

阿迪达斯，福特和《卫报》的插画师

译者 | 陈少芸

毕业于广东财经大学英语系
出生时经医生证实为 80 后晚期，做事情常出于“我不懂所以我想知道”的好奇心
代表译作：《产品经典面试宝典》《程序员健康指南》《只是为了好玩：Linux 之父林纳斯自传》

多的是你不知道的科学知识

嘭！编程超有趣

产品经理｜何　娜　　特约印制｜路军飞
装帧设计｜陈　章　　技术编辑｜顾逸飞
产品统筹｜何　娜　　策 划 人｜吴　畏

图书在版编目（CIP）数据

嘭！编程超有趣 /（英）罗博·汉森著 ；（英）达米恩·维西尔绘 ；陈少芸译. -- 昆明 ：云南美术出版社，2018.9

ISBN 978-7-5489-3249-9

Ⅰ. ①嘭… Ⅱ. ①罗… ②达… ③陈… Ⅲ. ①儿童故事－图画故事－英国－现代 Ⅳ. ①I561.85

中国版本图书馆CIP数据核字（2018）第154539号

著作权合同登记号 图字23-2018-014号

First published in the United Kingdom in 2017 by Portico,
an imprint of Pavilion Books Company Limited, 43 Great Ormond Street,
London, WC1N 3HZ

责任编辑：梁 媛 汤 彦
装帧设计：陈 章
责任校对：赵异宝

嘭！编程超有趣

［英］罗博·汉森 著；［英］达米恩·维西尔 绘；陈少芸 译

出版发行：云南出版集团
云南美术出版社（昆明市环城西路609号）
制版印刷：北京尚唐印刷包装有限公司
开　　本：787mm×1092mm 1/16
字　　数：200千字
印　　张：7.25
印　　数：1-7,000
版　　次：2018年12月第1版
印　　次：2018年12月第1次印刷
书　　号：ISBN 978-7-5489-3249-9
定　　价：46.00元